O Zahir

Paulo Coelho

O Zahir

Rocco

Direitos desta edição reservados à
EDITORA ROCCO LTDA.
Rua Rodrigo Silva, 26 – 4° andar
20011-040 – Rio de Janeiro – RJ
Tel.: (21) 2507-2000 – Fax: (21) 2507-2244
rocco@rocco.com.br
www.rocco.com.br

Printed in Brazil/Impresso no Brasil

Paulo Coelho na Internet
www.paulocoelho.com

Oh, Maria, concebida sem pecado,
rogai por nós, que recorremos a Vós. Amém.

CIP-Brasil. Catalogação-na-fonte.
Sindicato Nacional dos Editores de Livros, RJ.

C619z	Coelho, Paulo, 1947- O Zahir/Paulo Coelho. – Rio de Janeiro: Rocco, 2005. ISBN 85-325-1819-2 1. Romance brasileiro. I. Título.
04 – 3271	CDD – 869. 93 CDU – 821. 134. 3 (81) – 3

*"Se um de vocês tem cem ovelhas e perde uma,
será que não deixa as noventa e nove no campo
para ir atrás da que se perdeu, até encontrá-la?"*

– LUCAS 15, 4

Quando você partir, em direção a Ítaca,
que sua jornada seja longa,
repleta de aventuras, plena de conhecimento.

Não tema Laestrigones e Ciclopes nem o furioso Poseidon;
você não irá encontrá-los durante o caminho, se
o pensamento estiver elevado, se a emoção
jamais abandonar seu corpo e seu espírito.
Laestrigones e Ciclopes, e o furioso Poseidon
não estarão em seu caminho
se você não carregá-los em sua alma,
se sua alma não os colocar diante de seus passos.

Espero que sua estrada seja longa.
Que sejam muitas as manhãs de verão,
que o prazer de ver os primeiros portos
traga uma alegria nunca vista.
Procure visitar os empórios da Fenícia,
recolha o que há de melhor.
Vá às cidades do Egito,
aprenda com um povo que tem tanto a ensinar.

Não perca Ítaca de vista,
pois chegar lá é o seu destino.
Mas não apresse os seus passos;
é melhor que a jornada demore muitos anos
e seu barco só ancore na ilha
quando você já estiver enriquecido
com o que conheceu no caminho.

Não espere que Ítaca lhe dê mais riquezas.
Ítaca já lhe deu uma bela viagem;
sem Ítaca, você jamais teria partido.
Ela já lhe deu tudo, e nada mais pode lhe dar.

Se, no final, você achar que Ítaca é pobre,
não pense que ela o enganou.
Porque você tornou-se um sábio, viveu uma vida intensa,
e este é o significado de Ítaca.

– KONSTANTINOS KAVAFIS (1863–1933)

DEDICATÓRIA

No carro, eu havia comentado que colocara um ponto final na primeira versão do meu livro. Quando começamos a subir juntos uma montanha nos Pireneus, que consideramos sagrada e onde já vivemos momentos extraordinários, perguntei se ela queria saber qual o tema central, ou o título; ela respondeu que gostaria muito de perguntar, mas, por respeito ao meu trabalho, não tinha dito nada, apenas ficado contente – muito contente.

Eu lhe disse o título e o tema central. Continuamos a caminhar em silêncio e, na volta, escutamos um barulho; o vento que se aproximava, passando pelo alto das árvores sem folhas, descendo até nós, fazendo com que a montanha de novo mostrasse sua magia, seu poder.

Em seguida veio a neve. Parei, e fiquei contemplando aquele momento: os flocos caindo, o céu cinza, a floresta, ela ao meu lado. Ela, que sempre esteve ao meu lado, todo o tempo.

Tive vontade de dizer naquela hora, mas deixei para que soubesse apenas quando folheasse pela primeira vez estas páginas. Este livro é dedicado a você, Christina, minha mulher.

– O AUTOR

Segundo o escritor Jorge Luis Borges, a idéia do Zahir vem da tradição islâmica, e estima-se que surgiu em torno do século XVIII. *Zahir*, em árabe, quer dizer visível, presente, incapaz de passar despercebido. Algo ou alguém que, uma vez que entramos em contacto, termina por ir ocupando pouco a pouco nosso pensamento, até não conseguirmos nos concentrar em nada mais. Isso pode ser considerado santidade, ou loucura.

– FAUBOURG SAINT-PÈRES, *Enciclopédia do fantástico*, 1953

Eu sou um homem livre

*E*la, Esther, correspondente de guerra recém-chegada do Iraque porque a invasão do país deve acontecer a qualquer momento, 30 anos, casada, sem filhos. Ele, um homem não identificado, aproximadamente 23 ou 25 anos, moreno, traços mongóis. Os dois foram vistos pela última vez em um café na rua Faubourg Saint-Honoré.

A polícia foi informada de que já haviam se encontrado antes, embora ninguém soubesse quantas vezes: Esther sempre comentara que o homem – cuja identidade ocultava sob o nome de Mikhail – era alguém muito importante, embora jamais tenha explicado se era importante para sua carreira de jornalista, ou para ela, como mulher.

A polícia iniciou um inquérito formal. Foram aventadas as possibilidades de seqüestro, chantagem, seqüestro seguido de morte – o que não seria absolutamente de se estranhar, já que seu trabalho a obrigava a estar freqüentemente em contacto com pessoas ligadas a células terroristas, em busca de informação. Descobriram que sua conta bancária indicava saques regulares de dinheiro nas semanas anteriores ao seu desaparecimento: os investigadores consideraram que isso poderia estar ligado a pagamento de informação. Não havia levado nenhuma roupa, mas, curiosamente, seu passaporte não foi encontrado.

Ele, um desconhecido, muito jovem, sem nenhum registro na polícia, sem nenhuma pista que permitisse sua identificação.

Ela, Esther, dois prêmios internacionais de jornalismo, 30 anos, casada.

Minha mulher.

S ou colocado imediatamente sob suspeita, e detido – já que recusava dizer meu paradeiro no dia do seu desaparecimento. Mas o carcereiro acaba de abrir a porta, e dizer que sou um homem livre.

Por que sou um homem livre? Porque hoje em dia todos sabem tudo de todo mundo, basta desejar a informação e ela está ali: onde o cartão de crédito foi usado, quais os lugares que freqüentamos, com quem dormimos. No meu caso, foi mais fácil: uma mulher, também jornalista, amiga de minha mulher, mas divorciada – e, portanto, sem problemas em dizer que estava dormindo comigo –, se ofereceu para testemunhar a meu favor ao saber que eu tinha sido preso. Deu provas concretas de que eu estava com ela no dia e na noite do desaparecimento de Esther.

Vou conversar com o inspetor-chefe, que devolve minhas coisas, pede desculpas, afirma que minha rápida detenção foi feita com base na lei, e que não poderei acusar ou processar o Estado. Explico que não tenho a menor intenção de fazer isso, sei que qualquer pessoa está sempre sob suspeita, e sendo vigiada 24 horas por dia, mesmo que não tenha cometido nenhum crime.

– Você está livre – diz, repetindo as palavras do carcereiro.

Pergunto: não é possível que algo realmente tenha ocorrido com minha mulher? Ela já me havia comentado que, por causa de sua enorme teia de contactos no submundo do terrorismo,

vez por outra sentia que seus passos estavam sendo acompanhados de longe.

O inspetor desconversa. Eu insisto, mas ele não me diz
nada.

Pergunto se ela pode viajar com seu passaporte, ele diz que
sim, já que não cometeu nenhum crime: por que não poderia
sair e entrar livremente do país?

– Então existe uma possibilidade de não estar mais na
França?

– Você acha que foi abandonado por causa da moça com
quem anda dormindo?

Não é da sua conta, respondo. O inspetor pára um segundo,
fica sério, diz que fui preso porque estes são os procedimentos
de rotina, mas sente muito o desaparecimento de minha mulher.
Também ele é casado, e embora não goste dos meus livros (então ele sabe quem sou! Não é tão ignorante como parece!), consegue se colocar na minha situação, sabe que é difícil o que estou
passando.

Pergunto o que devo fazer a partir de agora. Ele me dá seu
cartão, pede que lhe informe se tiver alguma notícia – é uma
cena que vejo em todo filme, não me convence, os inspetores
sempre sabem mais do que contam.

Pergunta-me se algum dia eu encontrara a outra pessoa que
estava com Esther na última vez que foi vista. Respondo que
sabia seu nome de código, mas que nunca o conhecera pessoalmente.

Pergunta se temos problemas em casa. Digo que estamos
juntos há mais de dez anos, e temos todos os problemas normais
de um casal – nem mais, nem menos.

Pergunta, delicadamente, se conversáramos recentemente
sobre divórcio, ou se minha mulher estava considerando se-
parar-se. Respondo que esta hipótese jamais existiu, embora – e

repito, "como todos os casais" – tivéssemos algumas discussões de vez em quando.

Com freqüência ou de vez em quando?

De vez em quando, insisto.

Pergunta, mais delicadamente ainda, se ela desconfiava de meu caso com sua amiga. Digo que foi a primeira – e última vez – que dormimos juntos. Não era um caso, era na verdade uma falta de assunto, o dia estava aborrecido, nada havia para fazer depois do almoço, o jogo da sedução é sempre algo que nos desperta para a vida, e por causa disso terminamos na cama.

– Você vai para a cama só porque o dia está aborrecido?

Penso em dizer que não faz parte das investigações este tipo de pergunta, mas preciso da sua cumplicidade, talvez precise dele mais adiante – afinal, existe uma instituição invisível chamada Banco de Favores, que sempre me foi muito útil.

– Às vezes isso acontece. Não há nada de interessante para fazer, a mulher está em busca de emoção, eu estou em busca de aventura, e pronto. No dia seguinte, os dois fingem que não aconteceu nada, e a vida segue adiante.

Ele agradece, me estende a mão, diz que no seu mundo não é bem assim. Existe aborrecimento, tédio, e até mesmo vontade de ir para a cama – mas as coisas são muito mais controladas, e ninguém faz o que está pensando ou querendo.

– Talvez com os artistas as coisas sejam mais livres – comenta.

Respondo que conheço seu mundo, mas não quero agora entrar em comparações sobre as nossas diferentes opiniões da sociedade e dos seres humanos. Fico em silêncio, aguardando o próximo passo.

– Por falar em liberdade, você pode partir – diz o inspetor, um pouco decepcionado pelo fato do escritor estar se recusando a conversar com o policial. – Agora que o conheço pessoalmente, irei ler seus livros; na verdade, disse que não gosto, mas nunca os li.

Não é a primeira nem a última vez que escutarei esta frase. Pelo menos o episódio serviu para que ganhasse mais um leitor: eu o cumprimento e vou embora.

Estou livre. Saí da prisão, minha mulher desapareceu em circunstâncias misteriosas, não tenho um horário fixo para trabalhar, não tenho problemas de relacionamento, sou rico, famoso, e, se de fato Esther me abandonou, encontrarei rapidamente alguém para substituí-la. Estou livre e independente.

Mas o que é liberdade?

Passei grande parte da minha vida sendo escravo de alguma coisa, portanto devia entender o significado desta palavra. Desde criança lutei para que ela fosse meu tesouro mais importante. Lutei contra meus pais, que queriam que eu fosse engenheiro ao invés de escritor. Lutei contra meus amigos no colégio, que logo no início me escolheram para ser vítima de suas brincadeiras perversas, e só depois de muito sangue escorrido pelo meu nariz e pelo deles, só depois de muitas tardes quando precisava esconder de minha mãe as cicatrizes – porque eu tinha que resolver meus problemas, e não ela –, consegui mostrar que podia levar uma surra sem chorar. Lutei para arranjar um emprego que me sustentasse, fui trabalhar como entregador em uma loja de ferragens, para ficar livre da famosa chantagem familiar, "nós te damos dinheiro, mas você precisa fazer isso e aquilo".

Lutei – embora sem qualquer resultado – pela menina que amava na adolescência, e que também me amava; ela terminou me deixando porque seus pais a convenceram que eu não tinha futuro.

Lutei contra o ambiente hostil do jornalismo, meu emprego seguinte, onde o primeiro patrão me deixou três horas esperando, e só me deu alguma atenção quando comecei a rasgar em pedaços o livro que ele estava lendo: ele me olhou surpreso, e viu que ali estava uma pessoa capaz de perseverar e enfrentar o inimigo, qualidades essenciais para um bom repórter. Lutei pelo ideal socialista, terminei na prisão, saí e continuei lutando, sentindo-me herói da classe operária – até que escutei os Beatles, e decidi que era muito mais divertido gostar de rock que de Marx. Lutei pelo amor de minha primeira, minha segunda, minha terceira mulher. Lutei para ter coragem de me separar da primeira, da segunda e da terceira, porque o amor não tinha resistido, e eu precisava seguir adiante, até encontrar a pessoa que tinha sido colocada neste mundo para me encontrar – e não era nenhuma das três.

Lutei para ter coragem de deixar o emprego no jornal e lançar-me na aventura de escrever um livro, mesmo sabendo que em meu país não existia ninguém que pudesse viver de literatura. Desisti no final de um ano, depois de mais de mil páginas escritas, que pareciam absolutamente geniais porque nem eu mesmo conseguia compreender.

Enquanto lutava, via as pessoas falando em nome da liberdade, e quanto mais defendiam este direito único, mais escravas se mostravam dos desejos de seus pais, de um casamento onde prometiam ficar com o outro "pelo resto da vida", da balança, dos regimes, dos projetos interrompidos no meio, dos amores aos quais não se podia dizer "não" ou "basta", dos finais de semana onde eram obrigadas a comer com quem não desejavam. Escravos do luxo, da aparência do luxo, da aparência da aparência do luxo. Escravos de uma vida que não tinham escolhido, mas que haviam decidido viver – porque alguém terminou convencendo-os de que aquilo era melhor para eles. E assim seguiam em seus dias e noites iguais, onde a aventura era uma palavra em um livro ou uma imagem na televisão sempre ligada, e quando qualquer porta se abria, sempre diziam:

"Não me interessa, não estou com vontade."

Como podiam saber se estavam ou não com vontade, se jamais experimentaram? Mas era inútil perguntar: na verdade, tinham medo de qualquer mudança que viesse sacudir o mundo com que estavam acostumados.

O inspetor diz que estou livre. Livre estou agora, e livre estava dentro da cadeia, porque a liberdade ainda continua sendo a coisa que mais prezo neste mundo. Claro que isso me levou a beber vinhos que não gostei, fazer coisas que não devia ter feito e que não tornarei a repetir, ter muitas cicatrizes em meu corpo e em minha alma, ferir algumas pessoas – às quais terminei pedindo perdão, em uma época que compreendi que podia fazer tudo, exceto forçar outra pessoa a seguir-me em minha loucura, minha sede de viver. Não me arrependo dos momentos que sofri, carrego minhas cicatrizes como se fossem medalhas, sei que a liberdade tem um preço alto, tão alto quanto o preço da escravidão; a única diferença é que você paga com prazer, e com um sorriso, mesmo quando é um sorriso manchado de lágrimas.

Saio da delegacia, e está um dia lindo, um domingo de sol que em nada combina com o meu estado de espírito. Meu advogado está me esperando lá fora com algumas palavras de consolo e um buquê de flores. Diz que telefonou para todos os hospitais, necrotérios (aquele tipo de coisa que sempre se faz quando alguém demora a chegar em casa), mas não localizou Esther. Diz que conseguiu evitar que os jornalistas soubessem onde eu estava detido. Diz que precisa conversar comigo, para traçar uma estratégia jurídica que me permita defender-me de uma acusação futura. Eu agradeço sua atenção; sei que ele não deseja tra-

çar nenhuma estratégia jurídica – na verdade não quer me deixar sozinho, porque não sabe como reagirei (vou embriagar-me
e ser preso de novo? Farei um escândalo? Tentarei suicidar-
me?). Respondo que tenho assuntos importantes a tratar, e que
tanto ele como eu sabemos que não tenho nenhum problema
com a lei. Ele insiste, e eu não lhe dou escolha – afinal, sou um
homem livre.

Liberdade. Liberdade de estar miseravelmente só.

Pego um táxi até o centro de Paris, peço que pare junto ao
Arco do Triunfo. Começo a caminhar pelos Champs-Élysées,
em direção ao Hotel Bristol, onde costumava tomar chocolate
quente com Esther sempre que um de nós dois retornava de
uma missão no exterior. Para nós era como um ritual de voltar
para casa, um mergulho no amor que nos mantinha unidos,
embora a vida nos empurrasse cada vez mais para caminhos
diferentes.

Continuo caminhando. As pessoas sorriem, as crianças
estão alegres por estas poucas horas de primavera em pleno
inverno, o tráfego flui livremente, tudo parece em ordem – exceto que nenhuma destas pessoas sabe, ou finge não saber, ou simplesmente não se interessa pelo fato de que acabo de perder
minha mulher. Será que não entendem o quanto estou sofrendo? Todos deviam sentir-se tristes, compadecidos, solidários
com um homem que tem a alma sangrando de amor; mas continuam rindo, mergulhados em suas pequenas e miseráveis vidas
que acontecem apenas nos finais de semana.

Que pensamento ridículo: muitas das pessoas com quem
cruzei trazem também a alma em pedaços, e eu não sei por que
ou como estão sofrendo.

Entro em um bar para comprar cigarro, a pessoa me responde em inglês. Passo em uma farmácia para procurar um tipo de
bala de menta que adoro, e o empregado fala inglês comigo (em

ambas as vezes pedi os produtos em francês). Antes de chegar ao hotel, sou interrompido por dois rapazes recém-chegados de Toulouse, precisam saber onde se encontra determinada loja, abordaram várias pessoas, ninguém entende o que dizem. O que é isso? Mudaram a língua do Champs-Élysées nestas 24 horas em que estive detido?

O turismo e o dinheiro são capazes de fazer milagres: mas como não reparei nisso antes? Porque, pelo visto, eu e Esther já não tomamos aquele chocolate há muito tempo, mesmo que ambos tenham viajado e retornado várias vezes durante este período. Sempre existe alguma coisa mais importante. Sempre existe um compromisso inadiável. Sim, meu amor, tomaremos o nosso chocolate da próxima vez, volte logo, você sabe que hoje eu tenho uma entrevista realmente importante e não posso buscá-la no aeroporto, tome um táxi, o meu celular está ligado, você pode me chamar se tiver alguma coisa urgente, caso contrário nos vemos de noite.

Telefone celular! Tiro-o do bolso, ligo imediatamente, ele toca várias vezes, em cada uma delas meu coração dá um salto, vejo na pequena tela os nomes de pessoas que estão me procurando, e não atendo ninguém. Oxalá aparecesse um "sem identificação"; só poderia ser ela, já que aquele número de telefone é restrito a pouco mais de vinte pessoas, que juraram jamais passá-lo adiante. Não aparece, todos são números de amigos ou profissionais muito próximos. Devem estar querendo saber o que aconteceu, querem ajudar (ajudar como?), perguntar se estou precisando de alguma coisa.

O telefone continua tocando. Devo atender? Devo encontrar-me com algumas destas pessoas?

Decido ficar só até entender direito o que está acontecendo.

Chego ao Bristol, que Esther sempre descrevia como um dos poucos hotéis em Paris onde os clientes são tratados como hóspedes – e não sem-teto em busca de abrigo. Sou cumprimentado como se fosse alguém da casa, escolho uma mesa diante do belo relógio, escuto o piano, olho o jardim lá fora.

Preciso ser prático, estudar as alternativas, a vida segue adiante. Não sou nem o primeiro nem o último homem a ser abandonado por sua mulher – mas será que isso precisava ter acontecido em um dia de sol, com as pessoas na rua sorrindo, as crianças cantando, a primavera dando seus primeiros sinais, o sol brilhando, os motoristas respeitando as faixas de pedestre?

Pego um guardanapo, vou tirar estas idéias de minha cabeça e colocá-las no papel. Vamos deixar o sentimento de lado, e ver o que devo fazer:

A) considerar a possibilidade de que tenha sido realmente seqüestrada, sua vida está neste momento em perigo, sou seu homem, seu companheiro de todos os momentos, preciso mover céus e terras para encontrá-la.

Resposta a essa possibilidade: ela pegou seu passaporte. A polícia não sabe, mas também pegou alguns objetos de uso pessoal, e uma carteira com imagens de santos protetores, que sempre levava consigo quando viajava para outro país. Retirou dinheiro do banco.

Conclusão: estava se preparando para partir.

B) considerar a possibilidade de que tenha acreditado em uma promessa, que terminou se transformando em uma armadilha.

Resposta: muitas vezes tinha se colocado em situações perigosas – fazia parte de seu trabalho. Mas sempre me prevenia, já que eu era a única pessoa em quem podia confiar totalmente. Dizia-me onde devia estar, com quem entraria em contacto (embora, para não me deixar em perigo, na maior parte das vezes usava o nome de guerra da pessoa), e o que devia fazer em caso de não voltar em determinada hora.

Conclusão: ela não tinha em mente um encontro com suas fontes de informação.

C) considerar a possibilidade de ter encontrado um outro homem.

Resposta: não há resposta. É, de todas as hipóteses, a única que faz sentido. E eu não posso aceitar isso, não posso aceitar que vá embora desta maneira, sem ao menos me dizer a razão. Tanto eu como Esther sempre nos orgulhamos de enfrentar todas as dificuldades da vida em comum. Sofremos, mas nunca mentimos um ao outro – embora fizesse parte das regras do jogo omitir alguns casos extraconjugais. Sei que ela começou a mudar muito depois que conheceu o tal Mikhail, mas isso justifica a ruptura de um casamento de dez anos?

Mesmo que ela tivesse dormido com ele, se apaixonado, será que não iria colocar em uma balança todos os nossos momentos juntos, tudo que tínhamos conquistado, antes de partir para uma aventura sem volta? Era livre para viajar quando quisesse, vivia cercada de homens, soldados que não enxergavam uma mulher há muito tempo, eu jamais lhe perguntara nada, ela jamais me dissera coisa nenhuma. Ambos éramos livres e nos orgulhávamos disso.

Mas Esther desaparecera. Deixando traços visíveis apenas para mim, como se fosse uma mensagem secreta: eu estou indo embora.

Por quê?

Vale mesmo a pena responder a esta pergunta?

Não. Já que na resposta está escondida minha própria incompetência de manter ao meu lado a mulher que amo. Vale a pena procurá-la para convencê-la a voltar para mim? Implorar, mendigar mais uma chance em nosso casamento?

Isso parece ridículo: é melhor sofrer como já sofri antes, quando outras pessoas que amei terminaram me deixando. É melhor lamber minhas feridas, como também já fiz no passado. Vou ficar algum tempo pensando nela, me transformarei em uma pessoa amarga, irritarei meus amigos porque não tenho outro assunto a não ser a partida de minha mulher. Tentarei justificar tudo que aconteceu, passarei dias e noites revendo cada momento ao seu lado, terminarei por concluir que ela foi dura comigo, logo eu, que sempre procurei ser e fazer o melhor. Arranjarei outras mulheres. Quando caminhar pela rua, a cada instante vou cruzar com uma pessoa que pode ser ela. Sofrer dia e noite, noite e dia. Isso pode demorar semanas, meses, talvez mais de um ano.

Até que certa manhã acordo, noto que estou pensando em algo diferente, e compreendo que o pior já passou. O coração está machucado, mas se recupera e consegue de novo enxergar a beleza da vida. Isso já aconteceu antes, isso tornará a acontecer, tenho certeza. Alguém quando parte é porque outro alguém vai chegar – encontrarei de novo o amor.

Por um momento, saboreio a idéia de minha nova condição: solteiro e milionário. Posso sair com quem desejar, em plena luz do dia. Posso me comportar nas festas como não me comportei durante todos estes anos. A informação vai correr rápido, e em breve muitas mulheres, jovens ou não tão jovens assim, ricas ou não tão ricas como pretendem ser, inteligentes ou talvez apenas educadas para dizer o que acham que eu gostaria de ouvir, estarão batendo à minha porta.

Quero acreditar que é ótimo estar livre. Livre de novo. Pronto para encontrar o verdadeiro amor de minha vida, aquela que está me esperando, e que jamais me deixará viver de novo esta situação humilhante.

* * *

Termino o chocolate, olho o relógio, sei que ainda é cedo para ter esta agradável sensação de que faço de novo parte da humanidade. Por alguns momentos sonho com a idéia de que Esther vai entrar por aquela porta, caminhar pelos belos tapetes persas, sentar-se ao meu lado sem dizer nada, fumar um cigarro, olhar o jardim interno e segurar minha mão. Meia hora se passa, meia hora eu fico acreditando na história que acabo de criar, até perceber que se trata apenas de mais um delírio.

Resolvo não voltar para casa. Vou à recepção, peço um quarto, uma escova de dente, um desodorante. O hotel está cheio, mas o gerente dá um jeito: termino em uma linda suíte com vista para a Torre Eiffel, um terraço, os telhados de Paris, as luzes se acendendo pouco a pouco, as famílias se encontrando para jantar neste domingo. E retorna a mesma sensação que tive nos Champs-Élysées: quanto mais belo tudo a minha volta, mais miserável eu me sinto.

Nada de televisão. Nada de jantar. Sento-me no terraço e faço uma retrospectiva de minha vida, um jovem que sonhava ser um famoso escritor, e de repente vê que a realidade é completamente diferente – escreve em uma língua que quase ninguém lê, em um país que diziam não haver leitores. Sua família o força a entrar para uma universidade (qualquer uma serve, meu filho, desde que você consiga um diploma – porque caso contrário jamais poderá ser alguém na vida). Ele se rebela, corre o mundo durante a época hippie, termina encontrando um cantor, faz algumas letras de música e de repente consegue ganhar mais dinheiro que sua irmã, que escutara o que os pais haviam dito e decidira tornar-se engenheira química.

Escrevo mais músicas, o cantor faz cada vez mais sucesso, compro alguns apartamentos, brigo com o cantor, mas tenho capital suficiente para passar os próximos anos sem trabalhar. Caso a primeira vez com uma mulher mais velha que eu, aprendo muito – como fazer amor, como dirigir, como falar inglês, como dormir tarde –, mas terminamos nos separando, porque sou aquilo que ela considera "emocionalmente imaturo, vive atrás de qualquer mocinha com os peitos grandes". Caso a segunda e a terceira vez, com pessoas que, acredito, me darão estabilidade emocional: consigo o que desejo, mas descubro que a sonhada estabilidade vem acompanhada de um profundo tédio.

Mais dois divórcios. De novo a liberdade, mas é apenas uma sensação; liberdade não é a ausência de compromissos, mas a capacidade de escolher – e me comprometer – com o que é melhor para mim.

Continuo a busca amorosa, continuo escrevendo músicas. Quando me perguntam o que faço, respondo que sou escritor. Quando dizem que conhecem apenas minhas letras de música, digo que é apenas uma parte do meu trabalho. Quando se desculpam, e dizem que não leram nenhum livro meu, explico que estou trabalhando em um projeto – o que é uma mentira. Na verdade, tenho dinheiro, tenho contactos, o que não tenho é coragem de escrever um livro – o meu sonho passou a ser possível. Se eu tentar e falhar, não sei como será o resto de minha vida: por isso, melhor viver pensando em um sonho, do que enfrentar a possibilidade de vê-lo dar errado.

Um dia, uma jornalista vem me entrevistar: quer saber o que significa ter seu trabalho conhecido no país inteiro, sem que ninguém saiba quem sou, já que normalmente só o cantor aparece nos meios de comunicação. Bonita, inteligente, calada. Tornamos a nos encontrar em uma festa, já não existe a pressão do trabalho, eu consigo levá-la para a cama naquela mesma noite. Eu me apaixono, ela acha que foi uma droga. Telefono, sempre diz que está ocupada. Quanto mais me rejeita, mais interessado fico – até que consigo convencê-la a passar um final de semana em minha casa de campo (embora fosse a ovelha negra, ser rebelde muitas vezes compensa – era o único de meus amigos que àquela altura da vida já conseguira comprar uma casa de campo).

Durante três dias ficamos isolados, contemplando o mar, eu cozinho para ela, ela conta histórias de seu trabalho, e termina por se apaixonar por mim. Voltamos para a cidade, começa a dormir regularmente em meu apartamento. Certa manhã sai mais cedo, e volta com sua máquina de escrever: a partir daí, sem que nada seja dito, minha casa vai se transformando em sua casa.

Começam os mesmos conflitos que tive com minhas mulheres anteriores: elas sempre em busca de estabilidade, de fidelidade, eu em busca de aventura e do desconhecido. Desta vez, porém, o relacionamento dura mais; mesmo assim, dois anos depois, penso que é o momento de Esther levar de volta para sua casa a máquina de escrever, e tudo que veio com ela.

*A*cho que não vai dar certo.

– Mas você me ama, e eu te amo, não é verdade?

– Não sei. Se você perguntar se gosto de sua companhia, a resposta é sim. Se entretanto quer saber se consigo viver sem você, a resposta também é sim.

– Eu não queria ter nascido homem, estou muito contente com minha condição de mulher. Afinal, tudo que vocês esperam da gente é que cozinhemos bem. Por outro lado, dos homens se espera tudo, absolutamente tudo: serem capazes de sustentar a casa, fazer amor, defender a prole, arranjar a comida, ter sucesso.

– Não se trata disso: estou muito satisfeito comigo mesmo. Gosto de sua companhia, mas estou convencido de que não vai dar certo.

– Gosta de minha companhia, mas detesta estar apenas com você mesmo. Busca sempre a aventura, para esquecer coisas importantes. Vive atrás de adrenalina em suas veias, e esquece que ali deve correr sangue, e nada mais.

– Não estou fugindo de coisas importantes. O que seria importante, por exemplo?

– Escrever um livro.

– Isso eu posso fazer a qualquer momento.

– Então faça. Depois, se quiser, nos separamos.

*E*u acho seu comentário absurdo, posso escrever um livro quando desejar, conheço editores, jornalistas, gente que me deve favores. Esther é apenas uma mulher com medo de me perder, está inventando coisas. Digo que basta, nosso relacionamento chegou ao final, não se trata de o que ela acha que me deixaria feliz, se trata de amor.

O que é o amor? Ela pergunta. Fico mais de meia hora explicando, e termino me dando conta de que não consigo defini-lo bem.

Ela diz que, enquanto não sei definir o amor, que trate de tentar escrever um livro.

Respondo que as duas coisas não têm a menor relação entre si, vou sair de casa naquele mesmo dia, ela fica o tempo que quiser no apartamento – irei para um hotel até que tenha arranjado um lugar onde morar. Ela diz que de sua parte não tem nenhum problema, posso sair agora, antes de um mês o apartamento estará liberado – irá começar a procurar um local no dia seguinte. Faço as minhas malas, e ela vai ler um livro. Digo que já está tarde, irei amanhã. Ela sugere que vá imediatamente, porque amanhã eu me sentirei mais fraco, menos decidido. Pergunto se está querendo se livrar de mim. Ela ri, diz que fui eu quem decidiu acabar com tudo. Vamos dormir, no dia seguinte a vontade de ir embora não é tão grande assim, resolvo que preciso pensar melhor. Esther, porém, diz que o assunto não está terminado: enquanto não arriscar tudo pelo que julgo ser a verdadeira razão de minha vida, dias como este voltarão a acontecer, ela terminará infeliz, e será sua vez de deixar-me. Só que, neste caso, a intenção se transformará imediatamente em ação, e queimará qualquer ponte que a permita voltar. Pergunto o que quer dizer com isso. Arranjar outro namorado, apaixonar-me, ela responde.

Ela sai para trabalhar no jornal, resolvo tirar um dia de folga (além das letras de música, estou trabalhando em uma gravadora no momento), instalo-me diante da máquina de escrever. Levanto-me, leio os jornais, respondo a cartas importantes, quando estas terminam começo a responder as cartas sem importância, anoto coisas que preciso fazer, escuto música, dou uma volta no quarteirão, converso com o padeiro, volto para casa, o dia inteiro passou, não consegui datilografar nem mesmo uma simples frase. Concluo que odeio Esther, ela me força a fazer coisas que não estou com vontade.

Quando chega do jornal, não me pergunta nada – afirma que eu não consegui escrever. Diz que meu olhar de hoje é igual a meu olhar de ontem.

Vou trabalhar no dia seguinte, mas de noite torno a ir para a mesa onde está a máquina. Leio, vejo televisão, escuto música, volto para diante da máquina, e assim se passam dois meses, acumulando páginas e mais páginas de "primeira frase", sem jamais conseguir terminar o parágrafo.

Dou todas as desculpas possíveis – neste país ninguém lê, ainda não tenho o roteiro imaginado, ou tenho um ótimo roteiro, mas estou procurando a maneira correta de desenvolvê-lo. Além do mais, estou ocupadíssimo com tal artigo ou tal letra de música para ser feita. Outros dois meses, e um dia ela aparece em casa com um bilhete de avião.

"Basta", diz. "Pare de fingir que está ocupado, que é uma pessoa consciente de suas responsabilidades, que o mundo precisa do que está fazendo, e vá viajar por algum tempo." Sempre poderei ser o diretor do jornal onde publico algumas reportagens, sempre poderei ser o presidente da companhia de discos para onde faço as letras de música – e onde estou trabalhando apenas porque eles não desejam que eu faça letras para as gravadoras concorrentes. Sempre poderei voltar a fazer o que estou fazendo agora, mas o meu sonho, ele não pode mais esperar. Ou eu o aceito, ou o esqueço.

Para onde é o bilhete?

Espanha.

Quebro alguns copos, os bilhetes custam caro, não posso ausentar-me agora, tenho uma carreira diante de mim e preciso cuidar dela. Vou perder muitas parcerias de música, o problema não sou eu, o problema é nosso casamento. Se eu quisesse escrever um livro, ninguém me impediria de fazê-lo.

"Você pode, você quer, mas você não faz", ela diz. "Já que seu problema não é comigo, e sim com você mesmo, é melhor ficar algum tempo sozinho."

Mostra-me um mapa. Devo ir até Madri, onde tomarei um ônibus para as montanhas dos Pireneus, na fronteira com a França. Ali começa uma rota medieval, o caminho de Santiago: devo fazê-la a pé. No final, ela estará me esperando, e então aceitará tudo o que digo: que não a amo mais, que ainda não vivi o bastante para criar uma obra literária, que não quero nunca mais pensar em ser escritor, que tudo era apenas um sonho de adolescência, nada mais.

É uma alucinação! A mulher com quem estou há dois longos anos – verdadeira eternidade em uma relação amorosa – decide minha vida, me faz largar meu trabalho, quer que eu cruze a pé um país inteiro! É tão delirante que resolvo levar a sério. Embriago-me por várias noites, com ela ao meu lado também se embriagando – embora deteste bebida. Fico agressivo, digo que tem inveja de minha independência, que esta idéia maluca nasceu apenas porque disse que queria deixá-la. Ela responde que tudo nasceu quando eu ainda estava no colégio, e sonhava em ser escritor – agora chega de adiar, ou me enfrento comigo, ou passarei o resto da vida me casando, me divorciando, contando lindas histórias sobre meu passado e decaindo cada vez mais.

Evidente que não posso admitir que tenha razão – mas sei que está falando a verdade. E quanto mais me dou conta disso, mais agressivo fico. Ela aceita as agressões sem reclamar – apenas lembra que a data da viagem está chegando.

Certa noite, já perto do dia marcado, ela se recusa a fazer amor. Fumo um cigarro inteiro de haxixe, bebo duas garrafas de vinho e desmaio no meio da sala. Quando acordo, me dou conta que cheguei ao fundo do poço, e agora só me resta voltar à superfície. Logo eu, que me orgulho tanto de minha coragem, agora vejo o quanto estou sendo covarde, acomodado, mesquinho com minha própria vida. Naquela manhã, eu a desperto com um beijo e digo que farei o que sugere.

Viajo, e durante 38 dias percorro a pé o caminho de Santiago. Ao chegar a Compostela, entendo que minha verdadeira jornada começa ali. Decido morar em Madri, viver dos meus direitos autorais, deixar que um oceano me separe do corpo de Esther – embora continuemos oficialmente juntos, nos falando ao telefone com certa freqüência. É muito confortável continuar casado, sabendo que sempre posso retornar para os braços dela, ao mesmo tempo desfrutando de toda a independência do mundo.

Apaixono-me por uma cientista catalã, por uma argentina que faz jóias, por uma menina que canta no metrô. Os direitos autorais de música continuam entrando, e são o bastante para que eu possa viver confortavelmente, sem precisar trabalhar, com tempo livre para tudo, inclusive... escrever um livro.

O livro sempre pode esperar o dia seguinte, porque o prefeito de Madri decidiu que a cidade devia ser uma festa, criou um slogan interessante ("Madri, me mata"), estimula a visita de vários bares na mesma noite, inventa o romântico nome de *"movida madrileña"*, e isso eu não posso deixar para amanhã, tudo é muito divertido, os dias são curtos, as noites são longas.

Um belo dia, Esther telefona e diz que virá me visitar: segundo ela, precisamos resolver de uma vez por todas nossa situação. Marca sua passagem para uma semana depois, e assim me dá tempo para organizar uma série de desculpas (estou indo para Portugal, mas volto em um mês – digo para a menina loura que antes cantava no metrô, que agora dorme no apart-hotel, e sai todas as noites comigo para a *movida madrileña*). Arrumo o apartamento, apago qualquer indício de presença feminina, peço aos meus amigos um silêncio completo, minha mulher está chegando para passar um mês.

Esther desce do avião com um irreconhecível e horrível corte de cabelo. Viajamos para o interior da Espanha, conhecemos cidadezinhas que significam muito por uma noite, e que, se tivesse que voltar hoje, já não saberia onde se encontram. Assistimos a corridas de touros, danças flamengas, eu sou o melhor marido do mundo, porque quero que ela volte com a impressão de que ainda a amo. Não sei por que desejo dar esta impressão, talvez porque no fundo acredite que o sonho de Madri irá acabar um dia.

Reclamo de seu corte de cabelo, ela muda, fica linda de novo. Agora faltam apenas 10 dias para que suas férias terminem, quero que ela vá embora contente, e me deixe de novo sozinho com Madri que me mata, discotecas que abrem às 10 da manhã, touros, conversas intermináveis sobre os mesmos assuntos, álcool, mulheres, mais touros, mais álcool, mais mulheres, e nenhum, absolutamente nenhum horário.

Um domingo, caminhando até uma lanchonete que fica aberta a noite inteira, ela me pergunta sobre o assunto proibido: o livro que eu dizia estar escrevendo. Eu bebo uma garrafa de jerez, chuto as portas de metal no caminho, agrido verbalmente as pessoas na rua, pergunto por que viajou para tão longe se seu único objetivo era infernizar minha vida, destruir minha alegria. Ela não diz nada – mas ambos entendemos que nossa relação chegou ao seu limite. Passo uma noite sem sonhos, e no dia seguinte, depois de reclamar com o gerente sobre o telefone que não funciona direito, depois de dizer para a arrumadeira que ela não troca a roupa de cama há uma semana, depois de tomar um banho interminável para curar a ressaca da noite anterior, eu me sento diante da máquina, apenas para mostrar a Esther que estou tentando, honestamente tentando trabalhar.

E de repente acontece o milagre: olhando para aquela mulher na minha frente, que acabou de preparar o café, que está lendo o jornal, cujos olhos demonstram cansaço e desespero, que está ali com seu jeito sempre silencioso, que nem sempre demonstra seu carinho através de gestos, aquela mulher que me fez dizer "sim" quando queria dizer "não", que me obrigou a lutar pelo que ela achava – com razão – que era a minha razão de viver, que renunciou à minha companhia porque seu amor por mim era maior até mesmo que seu amor por ela, que me fez viajar em busca do meu sonho. Vendo aquela mulher quase menina, quieta, com olhos que diziam mais que qualquer palavra, muitas vezes amedrontada em seu coração, mas sempre corajosa em seus atos, sendo capaz de amar sem humilhar-se, sem pedir perdão por lutar por seu homem – de repente, os meus dedos batem nas teclas da máquina.

Sai a primeira frase. E a segunda.

Então passo dois dias sem comer, durmo apenas o necessário, as palavras parecem brotar de um lugar desconhecido –
como acontecia com as letras de música, na época em que, depois de muita briga, muita conversa sem sentido, eu e meu parceiro sabíamos que a "coisa" estava presente, pronta, e era hora
de colocar no papel e nas notas musicais. Desta vez, sei que a
"coisa" vem do coração de Esther, meu amor renasce de novo,
eu escrevo o livro porque ela existe, superou os momentos difíceis sem queixar-se, sem olhar-se como uma vítima. Começo a
contar minha experiência na única coisa que mexeu comigo em
todos estes anos mais recentes – o caminho de Santiago.

À medida que escrevo, vou me dando conta que estou passando
por uma série de mudanças importantes na minha maneira de
ver o mundo. Durante muitos anos estudara e praticara magia,
alquimia, ciências ocultas; era fascinado pela idéia de que um
grupo de pessoas detinha um poder imenso, que não podia de
maneira nenhuma ser dividido com o resto da humanidade, pois
seria arriscadíssimo deixar este potencial enorme cair em mãos
inexperientes. Participei de sociedades secretas, envolvi-me com
seitas exóticas, comprei livros caríssimos e fora de mercado, gas-
tei um tempo imenso em rituais e invocações. Vivia entrando e
saindo de grupos e confrarias, sempre excitado por encontrar-
me com alguém que finalmente me revelasse os mistérios do
mundo invisível, e sempre decepcionado por descobrir, no final,
que a maioria destas pessoas – embora fossem bem-intencio-
nadas – apenas seguia este ou aquele dogma, na maior parte das
vezes transformando-se em fanáticos, justamente porque o fana-
tismo é a única saída para as dúvidas que não cessam de provocar a alma do ser humano.

Descobri que muitos dos rituais funcionavam, é verdade. Mas descobri também que os que se diziam mestres e detentores dos segredos da vida, que afirmavam conhecer técnicas capazes de dar a qualquer homem a capacidade de conseguir tudo o que queria, já tinham perdido por completo a conexão com os ensinamentos dos antigos. Andar pelo caminho de Santiago, entrar em contacto com as pessoas comuns, descobrir que o Universo falava uma linguagem individual – chamada "sinais" – e para entendê-la bastava olhar com a mente aberta o que ocorria a nossa volta, tudo isso me fez duvidar se o ocultismo era realmente a única porta para estes mistérios. No livro sobre o caminho, começo então a discutir outras possibilidades de crescimento, e termino concluindo com uma frase: "basta prestar atenção; as lições sempre chegam quando você está pronto, e se estiver atento aos sinais, aprenderá sempre tudo o que é necessário para o próximo passo."

O ser humano tem dois grandes problemas: o primeiro é saber quando começar, o segundo é saber quando parar.

Uma semana depois, começo a primeira, a segunda, a terceira revisão. Madri já não me mata, é hora de voltar – sinto que um ciclo foi fechado e preciso urgentemente começar outro. Digo adeus à cidade como sempre disse adeus na minha vida: pensando que posso mudar de idéia e retornar um dia.

Volto para meu país com Esther, certo de que talvez seja hora de arranjar outro emprego, mas enquanto não consigo (e não consigo porque não preciso) continuo fazendo revisões do livro. Não creio que qualquer ser humano normal possa ter grande interesse pela experiência de um homem que atravessa um caminho na Espanha, romântico mas difícil.

Quatro meses depois, quando vou fazer a décima revisão, descubro que o manuscrito não está mais ali, e Esther tampouco. Quando estou prestes a enlouquecer, ela volta com um recibo de correio – enviou-o para um antigo namorado seu, que agora é dono de uma pequena editora.

O ex-namorado publica. Nenhuma linha na imprensa, mas algumas pessoas compram. Recomendam a outras, que também compram e recomendam a mais pessoas. Seis meses depois, a primeira edição está esgotada. Um ano depois, três edições já foram impressas, começo a ganhar dinheiro com aquilo que nunca sonhei: literatura.

Não sei quanto tempo este sonho vai durar, mas resolvo viver cada momento como se fosse o último. E noto que o sucesso me abre a porta que há tanto tempo estava esperando: outras editoras desejam publicar o próximo trabalho.

Acontece que não se pode fazer um caminho de Santiago todo ano, então sobre o que irei escrever? Será que o drama de sentar-me diante da máquina e fazer tudo – menos frases e parágrafos – irá começar de novo? É importante continuar dividindo minha visão de mundo, contar minhas experiências de vida. Tento por alguns dias, muitas noites, decido que é impossível. Uma tarde, leio por acaso (por acaso?) uma interessante história em *As 1001 noites*; ali está o símbolo de meu próprio caminho, algo que me ajuda a compreender quem sou, e por que demorei tanto a tomar a decisão que sempre esteve me esperando. Uso o tal conto como base para escrever sobre um pastor de ovelhas que vai em busca de seu sonho, um tesouro escondido nas pirâmides do Egito. Falo do amor que fica esperando-o, como Esther havia me esperado enquanto eu dava voltas e mais voltas na vida.

Já não sou mais aquele que sonhava em ser alguma coisa: eu sou. Sou o pastor que atravessa o deserto, mas onde está o alquimista que o ajuda a seguir adiante? Quando termino o novo romance, fico meio sem entender o que está ali: parece um conto de fadas para adultos, e os adultos estão mais interessados em

guerras, sexo, histórias sobre poder. Mesmo assim, o editor aceita, o livro é publicado, e de novo os leitores o levam à lista dos
mais vendidos.

Três anos depois meu casamento está ótimo, estou fazendo
o que desejo, aparece a primeira tradução, a segunda, e o sucesso – lento, mas sólido – vai levando meu trabalho aos quatro
cantos do mundo.

Resolvo mudar-me para Paris, por causa dos seus cafés, dos
seus escritores, de sua vida cultural. Descubro que nada mais
disso existe: os cafés são lugares de turistas com fotos das pessoas que fizeram sua fama. A maioria dos escritores está mais
preocupada com o estilo que com o conteúdo, tentam ser originais, mas tudo que conseguem é ser aborrecidos. Estão fechados
em seu mundo, e aprendo uma expressão interessante da língua
francesa: "reenviar o elevador." Isso significa: eu falo bem do
seu livro, você fala bem do meu, e criamos uma nova vida cultural, uma revolução, um novo pensamento filosófico, sofremos
porque ninguém nos entende, mas afinal isso já aconteceu com
os gênios do passado, faz parte de um grande artista ser incompreendido por seu tempo.

"Reenviam o elevador" e no início conseguem algum resultado – as pessoas não querem correr o risco de criticar abertamente aquilo que não entendem. Mas logo se dão conta de que
estão sendo enganadas, deixam de acreditar no que a crítica está
dizendo.

A Internet e sua linguagem simples chegam para mudar o
mundo. Surge um mundo paralelo em Paris: novos escritores se
esforçam para que suas palavras e suas almas sejam entendidas.
Junto-me com estes novos escritores, em cafés que ninguém
conhece, porque nem eles nem os cafés são famosos. Desenvol-
vo meu estilo sozinho, e aprendo com um editor o que preciso
aprender sobre a cumplicidade entre os homens.

— O que é o Banco de Favores?

— Você sabe. Todo ser humano vivo conhece.

— Pode ser, mas ainda não consegui entender o que está dizendo.

— Foi mencionado em um livro de um escritor americano. É o banco mais poderoso do mundo. Está presente em todas as áreas.

— Venho de um país sem tradição literária. Não poderia fazer favor para ninguém.

— Isso não tem a menor importância. Posso lhe dar um exemplo: eu sei que você é alguém que vai crescer, terá muita influência um dia. Eu sei porque já fui como você, ambicioso, independente, honesto. Hoje estou sem a energia que tinha antes, mas pretendo ajudá-lo porque não posso ou não quero ficar parado, não sonho com a aposentadoria, sonho com esta luta interessante que é a vida, o poder, a glória.

"Começo a fazer depósitos na sua conta – estes depósitos não são em dinheiro, mas em contactos. Apresento você a tal e tal pessoa, facilito certas negociações – desde que sejam lícitas. Você sabe que está me devendo alguma coisa, embora eu jamais cobre nada."

— E um dia...

— Exatamente. Um dia, lhe peço algo, você pode dizer não, mas sabe que está me devendo. Fará o que peço, eu continuarei ajudando, os outros saberão que você é uma pessoa leal, farão depósitos em sua conta – sempre contactos, porque este mundo é feito de contactos, e nada mais. Também lhe pedirão algo algum dia, você irá respeitar e apoiar quem o ajudou, com o passar do tempo terá sua teia espalhada por todo o mundo, conhecerá todos que precisa conhecer, e sua influência crescerá cada vez mais.

– Ou então me recuso a fazer o que você me pediu.

– Claro. O Banco de Favores é um investimento de risco, como qualquer outro banco. Você se recusa a fazer o favor que lhe pedi, achando que o ajudei porque você merecia, você é o máximo, todos nós temos obrigação de reconhecer seu talento. Bem, eu agradeço, peço a outra pessoa onde fiz depósitos em sua conta, mas a partir deste momento todo mundo sabe, sem que seja preciso dizer nada, que você não merece confiança.

"Pode crescer até a metade, mas não crescerá tudo que pretende. Em um dado momento, sua vida começa a declinar, você chegou à metade e não chegou até o final, está meio contente e meio triste, não é nem um homem frustrado nem um homem realizado. Não é frio nem quente, você é morno e, como diz algum evangelista em algum livro sagrado, coisas mornas não afetam o paladar."

O editor faz muitos depósitos – contactos – em minha conta no Banco de Favores. Aprendo, sofro, os livros são traduzidos para o francês e, como manda a tradição do país, o estrangeiro é bem recebido. Não apenas isso: o estrangeiro faz sucesso! Dez anos depois tenho um grande apartamento com vista para o Sena, sou amado pelos leitores, odiado pela crítica (que me adorava até vender meus primeiros cem mil exemplares, mas a partir daí deixei de ser um "gênio incompreendido"). Pago sempre em dia os depósitos feitos, e em breve estou emprestando – contactos. A minha influência aumenta. Aprendo a pedir, e aprendo a fazer o que os outros me pedem.

Esther consegue permissão para trabalhar como jornalista. À parte os conflitos normais em qualquer casamento, eu estou contente. Percebo pela primeira vez que todas as minhas frustrações com os namoros e casamentos anteriores nada tinham a ver com as mulheres que conheci – mas com minha própria amargura. Esther, entretanto, foi a única que entendeu algo muito simples: para poder encontrar-me com ela, eu precisava primeiro encontrar-me comigo. Estamos há oito anos juntos, acho que ela é a mulher da minha vida, e embora de vez em quando (melhor dizendo, com bastante freqüência) termine me deixando apaixonar por outras mulheres que cruzam meu caminho, em nenhum momento considero a possibilidade do divórcio.

Nunca pergunto se ela sabe dos meus casos extraconjugais. Ela nunca faz qualquer comentário a respeito.

Por isso fico absolutamente surpreso quando, ao sair de um cinema, me diz que havia pedido à revista onde trabalha para fazer uma reportagem sobre uma guerra civil na África.

— O que você está me dizendo?

— Que quero ser correspondente de guerra.

— Você está louca, não precisa disso. Está empregada naquilo que deseja. Ganha bem, embora não precise deste dinheiro para viver. Tem todos os contactos necessários no Banco de Favores. Tem talento e respeito dos seus colegas.

— Digamos, então, que preciso estar sozinha.

— É por minha causa?

— Construímos juntos nossas vidas. Amo o meu homem, e ele me ama, embora não seja o mais fiel dos maridos.

— É a primeira vez que você fala nisso.

— Porque não tem importância para mim. O que é a fidelidade? O sentimento de que possuo um corpo e uma alma que não são minhas? E você, acha que jamais estive na cama com outro homem durante todos estes anos que estamos juntos?

— Não me interessa. Não quero saber.

— Pois eu tampouco.

— Então, que história é essa de guerra, em um lugar esquecido do mundo?

— Eu preciso. Já disse que preciso.

— Você não tem tudo?

— Tenho tudo que uma mulher pode desejar.

— O que está errado com sua vida?

– Justamente isso. Tenho tudo, mas estou infeliz. Não sou a única: no decorrer de todos estes anos, convivi ou entrevistei todo tipo de pessoas: ricas, pobres, poderosas, acomodadas. Em todos os olhos que cruzaram com os meus, li uma amargura infinita. Uma tristeza que nem sempre era aceita, mas que estava ali, independentemente do que me diziam. Você está escutando?

– Estou escutando. Estou pensando. Na sua opinião, ninguém é feliz?

– Algumas pessoas parecem felizes: simplesmente não pensam no tema. Outras fazem planos: vou ter um marido, uma casa, dois filhos, uma casa de campo. Enquanto estão ocupadas com isso, são como touros em busca do toureiro: reagem instintivamente, seguem adiante sem saber onde está o alvo. Conseguem seu carro, às vezes conseguem até sua Ferrari, acham que o sentido da vida está ali, e não fazem jamais a pergunta. Mas, apesar de tudo, os olhos demonstram uma tristeza que nem elas mesmas sabem que carregam na alma. Você é feliz?

– Não sei.

– Não sei, todo mundo é infeliz. Sei que estão sempre ocupados: trabalhando além da hora, cuidando dos filhos, do marido, da carreira, do diploma, do que fazer amanhã, o que falta comprar, o que é preciso ter para não se sentir inferior etc. Enfim, poucas pessoas me disseram: "sou infeliz." A maioria me diz "estou ótimo, consegui tudo o que desejava". Então pergunto: "O que te faz feliz?" Resposta: "Tenho tudo que uma pessoa podia sonhar – família, casa, trabalho, saúde." Pergunto de novo: "Já parou para pensar se isso é tudo na vida?" Resposta: "Sim, isso é tudo." Insisto: "Então o sentido da vida é trabalho, família, filhos que vão crescer e deixá-lo, mulher ou marido que se transformarão mais em amigos que em verdadeiros apaixonados. E o trabalho vai terminar um dia. O que fará quando isso acontecer?"

"Resposta: não há resposta. Mudam de assunto."

– Na verdade, respondem: "Quando meus filhos crescerem, quando o meu marido – ou minha mulher – for mais meu amigo do que um amante apaixonado, quando eu me aposentar, terei tempo livre para fazer o que sempre sonhei: viajar.

"Pergunta: 'Mas você não disse que era feliz agora? Não está fazendo o que sempre sonhou?' Aí sim, dizem que estão muito ocupados, e mudam de assunto."

– Se eu insisto, sempre terminam descobrindo que estava faltando alguma coisa. O dono de empresa ainda não fechou o negócio que sonhava, a dona de casa gostaria de ter mais independência ou mais dinheiro, o rapaz apaixonado tem medo de perder sua namorada, o recém-formado se pergunta se escolheu sua carreira ou a escolheram por ele, o dentista queria ser cantor, o cantor queria ser político, o político queria ser escritor, o escritor quer ser camponês. E mesmo quando eu encontro alguém que estava fazendo aquilo que escolheu, esta pessoa estava com a alma atormentada. Não encontrou a paz. Por sinal, gostaria de insistir: você está feliz?

– Não. Tenho a mulher que amo, a carreira que sempre sonhei. A liberdade que todos os meus amigos invejam. As viagens, as honras, os cumprimentos. Mas existe algo...

– O quê?

– Acho que, se parar, a vida perde o sentido.

– Não pode relaxar, olhar Paris, segurar na minha mão e dizer: consegui o que queria, agora vamos aproveitar a vida que nos resta.

– Posso olhar Paris, posso segurar sua mão, mas não posso dizer estas palavras.

– Nesta rua onde estamos caminhando agora, posso apostar que todo mundo está sentindo a mesma coisa. A mulher elegante, que acaba de passar, gasta seus dias tentando parar o tempo, controlando a balança, porque acha que disso depende o amor. Olhe para o outro lado da rua: um casal com duas crianças. Eles vivem momentos de intensa felicidade quando saem para passear com os filhos, mas ao mesmo tempo o subconsciente não pára de aterrorizá-los: pensam que o emprego pode faltar, uma doença surgir, o plano de saúde não cumprir as promessas, um dos meninos ser atropelado. Enquanto tentam se distrair, procuram também uma maneira de se livrarem das tragédias, de se protegerem do mundo.

– E o mendigo na esquina?

– Esse eu não sei: nunca conversei com um. Ele é o retrato da infelicidade, mas seus olhos, como os olhos de qualquer mendigo, parecem estar disfarçando alguma coisa. Ali a tristeza é tão visível, que eu não consigo acreditar.

– O que está faltando?

– Não tenho a menor idéia. Olho as revistas de celebridades: todo mundo rindo, todo mundo contente. Mas como sou casada com uma celebridade, sei que não é assim: está todo mundo rindo ou se divertindo naquele momento, naquela foto, mas de noite, ou de manhã, a história é sempre outra. "O que vou fazer para continuar aparecendo na revista?" "Como disfarçar que já não tenho dinheiro o suficiente para sustentar meu luxo?" "Como administrar meu luxo, fazê-lo maior, mais expressivo que o dos outros?" "A atriz com quem estou nesta foto rindo, celebrando, pode roubar meu papel amanhã!" "Será que estou mais bem vestida que ela? Por que sorrimos, se nos detestamos?" "Por que vendemos felicidade para os leitores da revista, se somos profundamente infelizes, escravos da fama?"

– Não somos escravos da fama.

– Deixe de ser paranóico, não estou falando da gente.

– O que você acha que acontece?

– Há anos li um livro, que contava uma história interessante. Suponhamos que Hitler tenha vencido a guerra, liquidado com todos os judeus do mundo e convencido seu povo de que realmente existe uma raça superior. Os livros de história começam a ser mudados, e cem anos depois, seus sucessores conseguem acabar com os índios. Mais trezentos anos, e os negros são completamente dizimados. Demora quinhentos anos, mas finalmente a poderosa máquina de guerra consegue riscar da face da terra a raça oriental. Os livros de história falam de remotas batalhas contra bárbaros, mas ninguém lê com atenção, porque não tem a menor importância.

"Então, dois mil anos depois do nascimento do nazismo, em um bar de Tóquio – há quase cinco séculos habitada por gente alta, de olhos azuis, Hans e Fritz tomam cerveja. Em um dado momento, Hans olha para Fritz e pergunta: 'Fritz, você acha que tudo sempre foi assim?'

"'Assim como?', quer saber Fritz.

"'O mundo.'

"'Claro que o mundo sempre foi assim', não foi isso que aprendemos?'

"'É claro, não sei por que fiz esta pergunta idiota', diz Hans. Terminam sua cerveja, falam de outras coisas, esquecem aquele assunto."

– Não precisa ir tão longe no futuro, basta voltar 2.000 anos no passado. Você seria capaz de adorar uma guilhotina, uma forca, uma cadeira elétrica?

– Sei aonde você quer chegar: no pior de todos os suplícios humanos, a cruz. Lembro-me de ter lido em Cícero que era um "castigo abominável", provocando sofrimentos horríveis antes que a morte chegasse. E, no entanto, hoje em dia as pessoas a carregam no peito, colocam na parede do quarto, passaram a identificá-la como um símbolo religioso, esqueceram que estão diante de um instrumento de tortura.

– Ou então: dois séculos e meio se passaram antes que alguém decidisse que era preciso acabar com as festas pagãs que ocorriam no solstício de inverno, a data em que o sol está mais afastado da terra. Os apóstolos, e os sucessores dos apóstolos, estavam ocupados demais em divulgar a mensagem de Jesus, e jamais se preocuparam com o *natalis invict Solis*, a festa mitraica do nascimento do sol, que ocorria no dia 25 de dezembro. Até que um bispo decidiu que estas festas do solstício eram uma ameaça para a fé, e pronto! Hoje temos missas, presépios, presentes, sermões, bebês de plástico em manjedouras de madeira, e a convicção, a absoluta e completa convicção de que o Cristo nasceu neste dia!

– E temos a árvore de Natal: sabe qual a origem?

– Não tenho a menor idéia.

– São Bonifácio decidiu "cristianizar" um ritual dedicado a honrar o deus Odin quando era menino: uma vez por ano as tribos germânicas colocavam presentes em torno de um carvalho, para que as crianças os descobrissem. Achavam que com isso alegravam a divindade pagã.

– Voltando à história de Hans e Fritz: você acha que a civilização, as relações humanas, nossos desejos, nossas conquistas, tudo isso é fruto de uma história mal contada?

– Quando você escreveu sobre o caminho de Santiago, chegou à mesma conclusão, não é verdade? Antes achava que um grupo de eleitos sabia o significado dos símbolos mágicos; hoje em dia, sabe que todos nós conhecemos este significado – embora esteja esquecido.

– Saber isso não acrescenta nada: as pessoas fazem o maior esforço para não se lembrar, para não aceitar o imenso potencial mágico que possuem. Já que isso desequilibraria seus universos organizados.

– Mesmo assim, todos têm capacidade, não é certo?

– Certíssimo. Mas falta coragem para seguir os sonhos e os sinais. Será que é daí que vem essa tristeza?

– Não sei. E não estou afirmando que vivo infeliz o tempo todo. Me divirto, te amo, adoro meu trabalho. Mas, de vez em quando, sinto esta tristeza profunda, às vezes misturada com culpa ou com medo; a sensação passa, sempre para voltar mais adiante, e passar de novo. Como nosso Hans, faço a pergunta; como não posso respondê-la, simplesmente esqueço. Poderia ir ajudar as crianças famintas, fundar uma associação de apoio aos golfinhos, começar a tentar salvar as pessoas em nome de Jesus, fazer qualquer coisa que me dê a sensação de estar sendo útil: mas não quero.

– E por que esta história de ir para a guerra?

– Porque acho que, na guerra, o homem está no limite; pode morrer no dia seguinte. Quem está no limite, age diferente.

– Você quer responder à pergunta de Hans?

– Quero.

*H*oje, nesta bela suíte do Le Bristol, com a Torre Eiffel cintilando por cinco minutos a cada momento que o relógio completa uma hora, a garrafa de vinho fechada, os cigarros acabando, as pessoas me cumprimentando como se nada de grave tivesse realmente acontecido, eu me pergunto: foi nesse dia, saindo do cinema, que tudo começou? Será que eu tinha a obrigação de deixá-la ir em busca desta tal história mal contada, ou devia ter sido mais duro, dizer que esquecesse o assunto, porque era minha mulher, e eu precisava muito de sua presença e de seu apoio?

Bobagem. Na época, eu sabia, como sei agora, que não tinha outra possibilidade além de aceitar o que ela queria. Se dissesse "escolha entre mim e sua idéia de ser correspondente de guerra", estaria traindo tudo que Esther fizera por mim. Mesmo sem estar convencido de seu objetivo – ir em busca de "uma história mal contada" – eu concluíra que ela estava precisando um pouco de liberdade, de sair, de viver emoções fortes. O que havia de errado nisso?

Aceitei – não sem antes deixar bem claro que ela estava fazendo um grande saque no Banco de Favores (pensando bem, que coisa ridícula!). Durante dois anos, Esther acompanhou vários conflitos de perto, mudando de continente mais do que mudava de sapatos. Sempre que voltava, eu achava que desta vez iria desistir, não é possível viver muito tempo em um lugar onde não há comida decente, banho diário, cinema ou teatro. Perguntava se ela já tinha respondido à pergunta de Hans, e ela sempre me dizia que estava no caminho certo – e eu precisava me conformar. Às vezes passava alguns meses fora de casa; ao contrário do que diz a "história oficial do casamento" (eu já estava começando a usar seus termos), esta distância fazia crescer nosso amor, mostrar o quanto éramos importantes um para o outro. Nossa relação, que achei haver atingido o ponto ideal quando nos mudamos para Paris, estava ficando cada vez melhor.

Pelo que entendi, conheceu Mikhail quando precisava de um tradutor para acompanhá-la a algum país na Ásia Central. No início me falava dele com muito entusiasmo – uma pessoa sensível, que via o mundo como era de verdade, e não como nos tinham dito que devia ser. Era cinco anos mais jovem que ela, mas tinha uma experiência que Esther classificava de "mágica". Eu escutava com paciência e educação, como se aquele rapaz e suas idéias me interessassem muito, mas na verdade estava distante dali, minha cabeça percorria as tarefas a fazer, as idéias que podiam surgir para um texto, as respostas para as perguntas dos jornalistas e editores, a maneira de seduzir determinada mulher que parecia interessada em mim, os planos para as viagens de promoção dos livros.

Não sei se ela notou isso. Mas eu não reparei que Mikhail foi pouco a pouco sumindo de nossas conversas, até desaparecer por completo. E seu comportamento foi ficando cada vez mais radical: mesmo quando estava em Paris, começou a sair várias noites por semana, sempre alegando que estava fazendo uma reportagem sobre os mendigos.

Achei que estava tendo um caso amoroso. Sofri durante uma semana, e me perguntei: devia expressar minhas dúvidas, ou fingir que nada estava acontecendo? Decidi ignorar, partindo do princípio que "o que os olhos não vêem o coração não sente". Estava absolutamente convencido que não havia a menor possibilidade que me deixasse – tinha trabalhado muito para ajudar-me a ser quem sou, e não seria lógico abrir mão de tudo isso, por uma paixão efêmera.

Se tivesse realmente interesse no mundo de Esther, devia ter perguntado pelo menos uma vez o que havia acontecido com seu tradutor e sua sensibilidade "mágica". Devia ter suspeitado deste silêncio, desta ausência de informações. Devia ter pedido para acompanhá-la em pelo menos uma das tais "reportagens" com mendigos.

Quando ela, vez por outra, perguntava se estava interessado em seu trabalho, minha resposta era a mesma: "Estou interessado, mas não quero interferir, desejo que seja livre para seguir seu sonho da maneira que escolheu, como você me ajudou."

O que não passava de total desinteresse, é claro. Mas como as pessoas sempre acreditam no que querem acreditar, Esther ficava contente com meu comentário.

De novo me vem à cabeça a frase dita pelo inspetor no momento em que saí da prisão: *você está livre*. O que é liberdade? É ver que seu marido não se importa nem um pouco com o que você está fazendo? É sentir-se sozinha, sem ter com quem dividir os sentimentos mais íntimos, porque na verdade a pessoa com quem se casou está concentrada no seu trabalho, na sua importante, magnífica, difícil carreira?

Olho de novo a Torre Eiffel: mais uma hora se passou, porque torna a cintilar como se fosse feita de diamantes. Não sei quantas vezes isso aconteceu desde que estou aqui na janela.

Sei que, em nome da liberdade em nosso casamento, eu não percebi que Mikhail desaparecera das conversas de minha mulher.

Para reaparecer em um bar e desaparecer de novo, desta vez levando-a com ele, e deixando o famoso e bem-sucedido escritor como suspeito de um crime.

Ou, o que é pior, como um homem abandonado.

A pergunta de Hans

*E*M BUENOS AIRES *o Zahir é uma moeda comum de vinte centavos; marcas de canivete ou de corta-papel riscam as letras NT e o número dois; 1929 é a data gravada no verso. (Em Guzerat, no final do século XVIII, um tigre foi Zahir; em Java, um cego da mesquita de Surakarta, apedrejado pelos fiéis; na Pérsia, um astrolábio que Nadir Shah mandou jogar no fundo do mar; nas prisões de Mahdi, em 1892, uma pequena bússola que Rudolf Carl von Slatin tocou...)*

Um ano depois, eu acordo pensando na história de Jorge Luis Borges: algo que, uma vez tocado ou visto, jamais é esquecido – e vai ocupando nosso pensamento até nos levar à loucura. Meu Zahir não são as românticas metáforas com cegos, bússolas, tigre, ou a tal moeda.

Ele tem um nome, e seu nome é Esther.

Logo depois da prisão, saí em várias capas de revistas de escândalo: começavam alegando um possível crime, mas, para evitar um processo na justiça, terminavam sempre a matéria "afirmando" que eu havia sido inocentado (inocentado? Eu sequer havia sido acusado!). Deixavam passar uma semana, verificavam se a vendagem tinha sido boa (sim, tinha sido, eu era uma espécie de escritor acima de qualquer suspeita, e todos queriam saber como um homem que escreve sobre espiritualidade tinha um lado tão tenebroso para esconder). Então tornavam a atacar, afirmavam que ela tinha fugido de casa porque eu era conhecido por meus casos extraconjugais: uma revista alemã chegou a insinuar uma possível relação com uma cantora, vinte anos mais jovem que eu, que dizia haver me encontrado em Oslo, na Noruega (era verdade, mas o encontro tinha acontecido por causa do Banco de Favores – um amigo meu pedira, e estivera conosco durante todo o único jantar juntos). A cantora dizia que não havia nada entre nós (já que não havia, por que colocaram nossa foto na capa?) e aproveitava para dizer que estava lançando um disco novo: tanto eu como a revista tínhamos sido usados para promovê-la, e até hoje não sei se o fracasso do seu trabalho foi conseqüência deste tipo de promoção barata (por sinal, seu disco não era ruim – o que atrapalhou tudo foram as notas para a imprensa).

Mas o escândalo com o famoso escritor não durou muito: na Europa, e principalmente na França, a infidelidade não só é aceita, mas até mesmo é secretamente admirada. E ninguém gosta de ler matéria sobre algo que pode acontecer consigo mesmo.

O tema deixou as capas, mas as hipóteses continuavam: seqüestro, abandono de lar por causa de maus-tratos (foto de um garçom dizendo que discutíamos com muita freqüência: me lembro que realmente um dia discuti ali com Esther, furiosamente, sobre sua opinião de um escritor sul-americano, e que era completamente oposta à minha). Um tablóide inglês alegou – ainda bem que sem grandes repercussões – que minha mulher havia entrado na clandestinidade, apoiando uma organização terrorista islâmica.

Mas neste mundo repleto de traições, divórcios, assassinatos, atentados, um mês depois o assunto estava esquecido pelo grande público. Anos de experiência me ensinaram que este tipo de notícia jamais afetaria meu leitor fiel (já acontecera no passado, quando um programa de TV argentino mostrou um jornalista dizendo ter "provas" que eu tivera um encontro secreto no Chile com a futura primeira-dama do país – e meus livros continuaram na lista dos mais vendidos). O sensacionalismo foi feito para durar apenas 15 minutos, como dizia um artista americano; minha grande preocupação era outra – reorganizar minha vida, encontrar um novo amor, voltar a escrever livros e guardar, na pequena gaveta que se encontra na fronteira entre o amor e o ódio, qualquer lembrança da minha mulher.

Ou melhor (eu precisava aceitar logo o termo): da minha ex-mulher.

Parte do que eu previra naquele quarto de hotel terminou acontecendo. Passei um período sem sair de casa: não sabia como encarar meus amigos, olhá-los nos olhos e dizer simplesmente: "Minha mulher me deixou por um homem mais jovem." Quando saía, ninguém me perguntava nada, mas depois de beber alguns copos de vinho eu me sentia obrigado a puxar o assunto – como se pudesse ler os pensamentos de todos, como se achasse que não tivessem outra preocupação além de saber o que estava acontecendo em minha vida, mas fossem educados o suficiente para não dizer nada. Dependendo do meu humor no dia, Esther era realmente a santa que merecia um destino melhor, ou a mulher pérfida, traidora, que me envolvera em uma situação tão complicada, a ponto de ter sido considerado um criminoso.

Os amigos, os conhecidos, os editores, os que sentavam em minha mesa nos muitos jantares de gala que era obrigado a freqüentar, me escutavam com alguma curiosidade no início. Mas, pouco a pouco, notei que tentavam mudar de assunto – aquele tema já lhes tinha interessado em algum momento, mas não fazia mais parte de suas curiosidades cotidianas – mais interessante falar sobre a atriz assassinada pelo cantor, ou sobre a adolescente que escreveu um livro contando seus casos com políticos conhecidos. Um dia, em Madri, reparei que os convites para eventos e jantares começaram a escassear: embora me fizesse muito bem à alma descarregar meus sentimentos, culpar ou abençoar Esther, comecei a entender que estava sendo pior do que um marido traído: estava sendo uma pessoa aborrecida, que ninguém gosta de ter ao lado.

Resolvi a partir daí sofrer em silêncio, e os convites voltaram a inundar minha caixa de correio.

Mas o Zahir, no qual eu pensava com carinho ou irritação no início, continuava crescendo em minha alma. Comecei a procurar Esther em cada mulher que encontrava. Passei a vê-la em todos os bares, cinemas, pontos de ônibus. Mais de uma vez mandei o chofer de táxi parar no meio da rua, ou seguir alguém, até que eu me convencesse de que não era a pessoa que estava procurando.

Com o Zahir começando a ocupar todo o meu pensamento, eu precisava de um antídoto, algo que não me levasse ao desespero.

E só havia uma solução possível: arranjar uma namorada.

Encontrei três ou quatro mulheres que me atraíam, terminei me interessando por Marie, uma atriz francesa de 35 anos. Foi a única que não me disse bobagens do tipo "eu gosto de você como homem, não como uma pessoa que todos têm curiosidade de conhecer", ou "eu preferiria que você não fosse famoso", ou – pior ainda – "dinheiro não me interessa". Foi a única que ficava genuinamente contente com o meu sucesso, já que também era famosa, e sabia que a celebridade conta. A celebridade é um afrodisíaco. Estar com um homem sabendo que ele a escolheu – embora pudesse ter escolhido muitas outras – era algo que fazia bem ao seu ego.

Passamos a ser vistos com freqüência em festas e recepções: especulou-se sobre nossa relação, nem ela nem eu confirmamos ou afirmamos nada, o tema ficou no ar, e tudo que restava às revistas era esperar a foto do famoso beijo – que nunca veio, porque tanto eu como ela considerávamos vulgar este tipo de espetáculo público. Ela ia para suas filmagens, eu tinha meu trabalho; quando podia, viajava até Milão, quando ela podia, me encontrava em Paris, nos sentíamos próximos, mas não dependíamos um do outro.

Marie fingia que não sabia o que se passava na minha alma, eu fingia que tampouco sabia o que se passava na dela (um amor impossível por seu vizinho casado, embora ela fosse uma mulher que pudesse arranjar absolutamente qualquer homem que desejasse). Éramos amigos, companheiros, nos divertíamos com os mesmos programas, eu arriscaria dizer que até havia espaço para um determinado tipo de amor – diferente do que eu sentia por Esther, ou ela por seu vizinho.

Voltei a participar de minhas tardes de autógrafos, voltei a aceitar convites para conferências, artigos, jantares beneficentes, programas de televisão, projetos com artistas que estavam começando. Fazia tudo, menos aquilo que eu deveria estar fazendo: escrever um livro.

Mas isso não me importava, no fundo do meu coração eu achava que minha carreira de escritor havia acabado, já que aquela que me fez começar não estava mais comigo. Vivera intensamente meu sonho enquanto ele durou, chegara aonde poucos tiveram a sorte de chegar, podia agora passar o resto da vida me divertindo.

Pensava isso todas as manhãs. Durante a tarde, entendia que a única coisa que gostava de fazer era estar escrevendo. Quando chegava a noite, lá estava eu de novo tentando me convencer que já tinha realizado o meu sonho, e devia experimentar algo novo.

O ano seguinte foi um ano santo compostelano – acontece sempre que o dia de Santiago de Compostela, 25 de julho, cai em um domingo. Uma porta especial permanece aberta por 365 dias; segundo a tradição, quem entra na catedral de Santiago por esta porta, recebe uma série de bênçãos especiais.

Várias comemorações estavam acontecendo na Espanha, e como era extremamente grato à peregrinação que fizera, resolvi participar de pelo menos um evento: uma palestra, no mês de janeiro, no País Basco. Para sair da rotina – tentar escrever livro/ ir à festa/aeroporto/visitar Marie em Milão/ir a um jantar/ hotel/aeroporto/Internet/aeroporto/entrevista/aeroporto – escolhi fazer os 1.400 km sozinho, de carro.

Cada lugar – mesmo aqueles que jamais tinha estado antes – me lembra o meu Zahir particular. Penso que Esther adoraria conhecer isso, teria um grande prazer em comer neste restaurante, caminhar por esta margem do rio. Paro para dormir em Bayonne, e, antes de fechar os olhos, ligo a TV e descubro que há aproximadamente 5 mil caminhões parados na fronteira entre a França e a Espanha, devido a uma violenta e inesperada tempestade de neve.

Acordo pensando em voltar para Paris: tenho uma excelente desculpa para cancelar o compromisso, e os organizadores entenderão perfeitamente – o trânsito está uma confusão, existe gelo no asfalto, tanto o governo espanhol como o francês aconselham que ninguém saia de casa neste final de semana, pois os riscos de acidente são grandes. A situação está mais grave que ontem à noite: o jornal da manhã comenta que há 17 mil pessoas bloqueadas em outro trecho, a defesa civil está mobilizada para socorrê-los com alimento e abrigos improvisados, já que o combustível de muitos carros acabou e não há mais possibilidade de manter o aquecimento ligado.

No hotel me explicam que, se preciso MESMO viajar, se for um caso de vida ou morte, posso pegar uma pequena estrada marginal, fazer um contorno que irá acrescentar mais duas horas ao percurso, embora ninguém possa garantir o estado da pista. Mas, por instinto, resolvo seguir em frente: alguma coisa me empurra para a frente, para o asfalto escorregadio, as horas de paciência nos engarrafamentos.

Talvez o nome da cidade: Vitória. Talvez a idéia de que estou demasiado acostumado ao conforto, e perdi minha capacidade de improvisar em situações de crise. Talvez o entusiasmo das pessoas, que neste momento estão tentando recuperar uma catedral construída há muitos séculos – e, para chamar a atenção ao esforço que fazem, convidaram alguns escritores para palestras. Ou talvez aquilo que diziam os antigos conquistadores das Américas: "Navegar é preciso, viver não é preciso."

E navego. Depois de muito tempo e muita tensão chego a Vitória, onde pessoas mais tensas ainda estão me esperando. Comentam que há mais de 30 anos não acontece este tipo de nevasca, agradecem o esforço, mas a partir de agora é preciso cumprir o programa oficial, e isso inclui uma visita à catedral de Santa Maria.

Uma jovem, com um brilho especial nos olhos, começa a me contar a história. No princípio era a muralha. Em seguida, a muralha continuou ali, mas uma das paredes foi usada para a construção de uma capela. Dezenas de anos se passaram, a capela se transformou em uma igreja. Mais um século, e a igreja virou uma catedral gótica. A catedral conheceu seus momentos de glória, começaram alguns problemas de estrutura, foi abandonada por um período, passou por reformas que deformaram sua estrutura, mas cada geração achava que tinha resolvido o problema, e refaziam os planos originais. Assim, nos séculos que se seguiram, erguiam uma parede aqui, demoliam uma viga acolá, acrescentavam reforços deste lado, abriam e fechavam os vitrais.

E a catedral resistia a tudo.

Caminho por seu esqueleto, vendo as reformas atuais: desta vez os arquitetos garantem que encontraram a melhor solução. Há andaimes e reforços de metal por toda parte, grandes teorias sobre os passos futuros, e algumas críticas ao que foi feito no passado.

E de repente, no meio da nave central, eu me dou conta de algo muito importante: a catedral sou eu, é cada um de nós. Vamos crescendo, mudando de forma, nos deparamos com algumas fraquezas que precisam ser corrigidas, nem sempre escolhemos a melhor solução, mas apesar de tudo continuamos em frente, tentando nos manter eretos, corretos, de modo a honrar não as paredes, nem as portas ou janelas, mas o espaço vazio que está ali dentro, o espaço onde adoramos e veneramos aquilo que nos é caro e importante.

Sim, somos uma catedral, sem nenhuma dúvida. Mas o que está no espaço vazio de minha catedral interior?

Esther, o Zahir.

Ela preencheu tudo. Ela é a única razão pela qual estou vivo. Olho em volta, me preparo para a conferência, e entendo por que enfrentei a neve, os engarrafamentos, o gelo na estrada: para lembrar que todos os dias preciso reconstruir a mim mesmo, e para – pela primeira vez em toda a minha existência – aceitar que amo um ser humano mais do que a mim mesmo.

Na volta a Paris – já em condições meteorológicas muito melhores –, eu estou em uma espécie de transe: não penso, apenas presto atenção no tráfego. Quando chego em casa, peço à empregada para não deixar ninguém entrar, que durma no emprego durante os próximos dias, que faça café da manhã, almoço e jantar. Piso em cima do pequeno aparelho que me permite conectar-me à Internet, destruindo-o por completo. Arranco o telefone da parede. Coloco meu celular em um pacote e envio para meu editor, pedindo que só me devolva quando eu for lá pessoalmente recolhê-lo.

Durante uma semana, caminho às margens do Sena de manhã, e, na volta das caminhadas, me tranco no meu escritório. Como se estivesse escutando a voz de um anjo, escrevo um livro – melhor dizendo, uma carta, uma longa carta à mulher de meus sonhos, à mulher que amo, e que amarei sempre. Um dia talvez este livro chegue às suas mãos, e mesmo que isso não aconteça, eu agora sou um homem em paz com meu espírito. Já não luto mais contra meu orgulho ferido, já não procuro Esther em todas as esquinas, bares, cinemas, jantares, Marie, notícias de jornal.

Ao contrário, estou satisfeito que ele exista – mostrou-me que sou capaz de um amor que eu mesmo desconhecia, isso me deixa em estado de graça.

Aceito o Zahir, deixarei que ele me leve à santidade ou à loucura.

*T*empo de rasgar, tempo de costurar, título baseado em um verso do Eclesiastes, foi publicado no final de abril. Na segunda semana de maio, estava já em primeiro lugar nas listas de mais vendidos.

Os suplementos literários, que nunca foram gentis comigo, desta vez redobraram o ataque. Recortei algumas das frases principais, e coloquei no caderno onde estavam as críticas dos anos anteriores; basicamente diziam a mesma coisa, mudando apenas o título do livro:

"... mais uma vez, nos tempos tumultuados em que vivemos, o autor nos faz fugir da realidade através de uma história de amor" (como se o homem pudesse viver sem isso)

"... frases curtas, estilo superficial" (como se frases longas significassem estilo profundo)

"... o autor descobriu o segredo do sucesso – marketing" (como se eu tivesse nascido em um país de grande tradição literária, e tivesse fortunas para investir no meu primeiro livro)

"... embora vá vender como sempre vendeu, isso prova que o ser humano não está pronto para encarar a tragédia que nos cerca" (como se eles soubessem o que significa estar pronto)

Alguns textos, porém, eram diferentes: além das frases acima, acrescentavam que eu estava me aproveitando do escândalo do ano anterior, para ganhar ainda mais dinheiro. Como sempre acontecia, a crítica negativa divulgou ainda mais o meu trabalho: meus leitores fiéis compraram, e aqueles que já tinham se esquecido do caso tornaram a lembrar-se e também adquiriram seus exemplares, pois desejavam saber a minha versão para o desaparecimento de Esther (como o livro não se tratava disso, mas de um hino ao amor, devem ter ficado decepcionados e dado razão aos críticos). Os direitos foram imediatamente vendidos para todos os países onde meus títulos eram publicados.

Marie, a quem entregara o texto antes de enviá-lo para a editora, revelou ser a mulher que eu esperava que fosse: ao invés de ficar com ciúme, ou dizer que eu não devia expor minha alma daquela maneira, encorajou-me a seguir adiante e ficou contentíssima com o sucesso. Naquele período de sua vida, estava lendo os ensinamentos de um místico praticamente desconhecido, que citava em todas as nossas conversas.

–*Q*uando as pessoas nos elogiarem, devemos ficar de olho em nosso comportamento.

– A crítica nunca me elogiou.

– Falo dos leitores: você tem recebido mais cartas que nunca, vai terminar acreditando que é melhor do que pensa, vai deixar-se dominar por um falso sentimento de segurança, que pode ser muito perigoso.

– Mas, na verdade, depois da ida àquela catedral, acho que sou melhor do que pensava ser, e isso nada tem a ver com as cartas de leitores. Descobri o amor, por mais absurdo que isso pareça.

– Ótimo. O que mais me agrada no livro, é que você não culpa em momento algum sua ex-mulher. E tampouco se culpa.

– Aprendi a não gastar meu tempo com isso.

– Que bom. O universo se encarrega de corrigir nossos erros.

– Você está se referindo ao desaparecimento de Esther como uma espécie de "correção"?

– Não acredito no poder curativo do sofrimento e da tragédia; estas acontecem porque são parte da vida, e não devem ser encaradas como punição. Geralmente, o universo nos indica que estamos errados, quando nos tira o que temos de mais importante: nossos amigos. E isso andou acontecendo com você, se não me engano.

– Descobri uma coisa recentemente: os verdadeiros amigos são aqueles que estão a nosso lado quando as coisas boas acontecem. Eles torcem pela gente, se alegram com nossas vitórias. Os falsos amigos são os que só aparecem nos momentos difíceis, com aquela cara triste, de "solidariedade", quando na verdade o nosso sofrimento está servindo para consolá-los em suas vidas miseráveis. Durante a crise no ano passado, surgiram várias pessoas que nunca tinha visto, e que vinham me "consolar". Detesto isso.

– Também acontece comigo.

– E agradeço por você ter aparecido em minha vida, Marie.

– Não agradeça tão rápido, nossa relação ainda não está forte o suficiente. Entretanto, eu já começo a pensar em mudar-me para Paris, ou pedir que você vá morar em Milão: tanto no seu caso como no meu, isso não faz a menor diferença para nosso trabalho. Você sempre trabalha em casa, e eu sempre trabalho em outras cidades. Quer mudar de assunto, ou continuamos discutindo essa possibilidade?

– Quero mudar de assunto.

– Então conversemos sobre outra coisa. Seu livro foi escrito com muita coragem. O que me surpreende é que, em nenhum momento, você cita o rapaz.

– Ele não me interessa.

– Claro que lhe interessa. Claro que, vez por outra, você se pergunta: por que ela o escolheu?

– Não pergunto isso.

– Você está mentindo. Eu gostaria de saber por que meu vizinho não se divorciou de sua mulher desinteressante, sempre sorrindo, sempre cuidando da casa, da alimentação, das crianças, das contas a pagar. Se eu pergunto, você também se pergunta.

– Você quer que eu diga que o odeio, por ter roubado minha mulher?

– Não. Quero escutar que o perdoou.

– Não sou capaz.

– É muito difícil. Mas não há escolha: se não fizer isso, irá pensar sempre no sofrimento que ele causou, e esta dor não passará nunca.

"Eu não estou dizendo que você deve *gostar* dele. Não estou dizendo que deva procurá-lo. Não estou sugerindo que passe a vê-lo como um anjo. Como é mesmo seu nome? Algo russo, se não me engano."

– Não interessa seu nome.

– Está vendo? Nem o seu nome você quer pronunciar. É alguma superstição?

– Mikhail. Pronto, aí está o nome.

– A energia do ódio não irá levá-lo a lugar nenhum; mas a energia do perdão, que se manifesta através do amor, conseguirá transformar positivamente sua vida.

– Agora você está parecendo uma mestra tibetana, falando coisas que são muito bonitas na teoria, mas impossíveis na prática. Não se esqueça que fui ferido muitas vezes.

– Por causa disso, ainda carrega dentro de si o menino que chorou escondido dos pais, que era o mais fraco da escola. Ainda traz as marcas do rapaz franzino que não conseguia arranjar uma namorada, que jamais foi bom em qualquer esporte. Não conseguiu afastar as cicatrizes de algumas injustiças que cometeram com você durante sua vida. Mas o que isso lhe acrescenta de bom?

– Quem lhe disse que isso aconteceu em minha vida?

– Eu sei. Seus olhos mostram, e isso não lhe acrescenta absolutamente nada. Apenas um constante desejo de ter piedade de si mesmo, porque foi vítima dos que eram mais fortes. Ou então ir para o lado oposto: vestir-se como um vingador pronto para ferir mais ainda aquele que o machucou. Você não acha que está perdendo seu tempo?

– Acho que o meu comportamento é humano.

– Realmente é humano. Mas não é nem inteligente, nem razoável. Respeite seu tempo nesta Terra, saiba que Deus sempre o perdoou, e perdoe também.

*O*lhando a multidão reunida para minha tarde de autógrafos em uma megastore no Champs-Élysées, eu pensava: quantas daquelas pessoas tinham tido a mesma experiência que eu tivera com minha mulher? Pouquíssimas. Talvez uma ou duas. Mesmo assim, a maioria iria se identificar com o que estava no texto do novo livro.

Escrever é uma das atividades mais solitárias do mundo. Uma vez cada dois anos, vou para a frente do computador, olho para o mar desconhecido de minha alma, vejo que ali existem algumas ilhas – idéias que se desenvolveram e estão prontas para serem exploradas. Então pego meu barco – chamado Palavra – e resolvo navegar para aquela que está mais próxima. No caminho, defronto-me com correntezas, ventos, tempestades, mas continuo remando, exausto, agora já consciente de que fui afastado de minha rota, a ilha a que pretendia chegar já não está mais em meu horizonte.

Mesmo assim, não dá para voltar atrás, preciso continuar de qualquer maneira, ou ficarei perdido no meio do oceano – neste momento me passa pela cabeça uma série de cenas aterrorizantes, como passar o resto da vida comentando os sucessos passados, ou criticando amargamente os novos escritores, simplesmente porque já não tenho coragem de publicar novos livros. Meu sonho não era ser escritor? Pois devo continuar criando frases, parágrafos, capítulos, escrevendo até a morte, sem deixar-me paralisar pelo sucesso, pela derrota, pelas armadilhas. Caso contrário, qual o sentido da minha vida: poder comprar um moinho no sul da França e ficar cuidando do jardim? Passar a dar conferências, pois é mais fácil falar do que escrever? Retirar-me do mundo de maneira estudada, misteriosa, para criar uma lenda que me custará muitas alegrias?

Movido por estes pensamentos assustadores, descubro uma força e uma coragem que desconhecia existir: elas me ajudam a aventurar-me pelo lado desconhecido da minha alma, deixo-me levar pela correnteza, e termino ancorando meu barco na ilha aonde fui conduzido. Passo dias e noites descrevendo o que vejo, perguntando-me por que estou agindo assim, dizendo a cada instante que não vale a pena o esforço, que não preciso mais provar nada a ninguém, que já consegui o que desejava – e muito mais do que sonhava.

Noto que o processo do primeiro livro se repete cada vez: acordo às nove da manhã, disposto a sentar-me no computador logo depois do café; leio jornais, saio para caminhar, vou até o bar mais próximo conversar com as pessoas, volto para casa, olho para o computador, descubro que preciso dar vários telefonemas, olho o computador, já está na hora do almoço, como pensando que devia estar escrevendo desde as 11 da manhã, mas agora preciso dormir um pouco, acordo às cinco da tarde, finalmente ligo o computador, vou verificar a correspondência eletrônica e me dou conta de que destruí a minha conexão com a Internet, resta sair e ir até um lugar a dez minutos de casa onde é possível conectar-me, mas será que antes, só para libertar minha consciência deste sentimento de culpa, não dá para escrever pelo menos meia hora?

Começo por obrigação – mas de repente "a coisa" toma conta de mim, e não paro mais. A empregada me chama para jantar, peço que não me interrompa, uma hora depois ela torna a me chamar, estou com fome, mas só mais uma linha, uma frase, uma página. Quando sento à mesa, o prato está frio, janto rapidamente e volto para o computador – agora já não controlo meus passos, a ilha está sendo desvendada, sou empurrado através de suas trilhas, encontrando-me com coisas que nunca havia pensado ou sonhado. Tomo café, tomo mais café, e duas horas da manhã finalmente paro de escrever, porque meus olhos estão cansados.

Deito-me, fico mais uma hora tomando notas de coisas que irei utilizar no próximo parágrafo, e que sempre provam ser totalmente inúteis – servem apenas para esvaziar minha cabeça, até que o sono venha. Prometo a mim mesmo que amanhã começo às 11 horas sem falta. E, no dia seguinte, acontece a mesma coisa – passeio, conversas, almoço, dormir, culpa, raiva de ter quebrado a conexão com a Internet, forçar a primeira página etc.

De repente, duas, três, quatro, 11 semanas se passaram, sei que estou perto do final, sou possuído de um sentimento de vazio, de alguém que terminou colocando em palavras aquilo que devia ter guardado para si. Mas agora tenho que chegar até a última frase – e chego.

Antigamente, quando lia biografias de escritores, achava que tentavam enfeitar a profissão ao dizer que "o livro se escreve, o escritor é apenas o datilógrafo". Hoje sei que isso é absolutamente verdade, ninguém sabe por que a correnteza os levou a determinada ilha, e não para aquela que sonhava chegar. Começam as revisões obsessivas, os cortes, e quando já não agüento mais ler as mesmas palavras, envio o manuscrito ao editor, que o revisa mais uma vez, e o publica.

E para minha constante surpresa, outras pessoas estavam em busca daquela ilha, e a encontram no livro. Uma conta para outra, a cadeia misteriosa se expande, e aquilo que o escritor julgava ser um trabalho solitário transforma-se em uma ponte, em um barco, em um meio em que almas trafegam e se comunicam. A partir daí, já não sou mais o homem perdido na tempestade: me encontro comigo mesmo através de meus leitores, entendo o que escrevi quando vejo que outros também entendem – nunca antes disso. Em alguns raros momentos, como aquele que está prestes a acontecer daqui a pouco, consigo olhar algumas destas pessoas nos olhos, compreender que também minha alma não está só.

Na hora marcada, comecei a autografar os livros. Um rápido contacto de olhos nos olhos, mas a sensação de cumplicidade, alegria, respeito mútuo. Mãos que se apertam, algumas cartas, presentes, comentários. Noventa minutos depois peço dez minutos de descanso, ninguém reclama, meu editor (como já é tradicional em minhas tardes de autógrafos) manda servir um copo de champagne a todos que estão na fila (já tentei fazer com que esta tradição fosse adotada em outros países, mas sempre alegam que a champagne francesa é cara, e terminam dando água mineral – o que também demonstra respeito para com quem está esperando).

Volto à mesa. Duas horas depois, ao contrário do que devem estar pensando os que observam o evento, não estou cansado – mas cheio de energia, poderia continuar aquele trabalho pela noite adentro. Entretanto, a loja já fechou as portas, a fila vai terminando, lá dentro permaneceram quarenta pessoas, que se transformam em trinta, vinte, onze, cinco, quatro, três, dois... e, de repente, nossos olhos se tocam.

– Esperei até o final. Queria ser o último, porque tenho um recado.

Não sei o que dizer. Olho para o lado, editores, representantes de venda e livreiros estão conversando entusiasmados, daqui a pouco iremos jantar, beber, dividir um pouco a emoção daquele dia, contar histórias curiosas que aconteceram enquanto eu estava assinando.

Eu nunca o tinha visto antes, mas sei quem é. Pego o livro de sua mão e escrevo:

"Para Mikhail, com carinho."

Não digo nada. Não posso perdê-lo – qualquer palavra, qualquer frase, qualquer movimento súbito pode fazer com que vá embora e nunca mais retorne. Em uma fração de segundo, entendo que ele, e apenas ele, me salvará da bênção – ou da maldição – do Zahir, porque é o único que sabe onde se encontra, e eu finalmente poderei fazer as perguntas que por tanto tempo repito para mim mesmo.

– Eu queria que você soubesse que ela está bem. E, possivelmente, deve ter lido seu livro.

Os editores, representantes de venda, livreiros se aproximam. Me abraçam, dizem que foi uma tarde especial. Vamos agora relaxar, beber, conversar sobre a noite.

– Gostaria de convidar este leitor – digo. – Ele estava no final da fila, ele irá representar todos os leitores que estiveram aqui conosco.

– Não posso. Tenho um outro compromisso.

E, virando-se para mim, um pouco assustado:

– Vim apenas dar um recado.

– Que recado? – pergunta um dos vendedores.

– Ele nunca convida ninguém! – diz meu editor. – Venha, vamos jantar juntos!

– Agradeço, mas participo de um encontro todas as quintas-feiras.

– A que horas?

– Daqui a duas horas.

– E onde?

– Em um restaurante armênio.

Meu chofer, que é armênio, pergunta exatamente em qual, e diz que está a apenas 15 minutos de distância do lugar onde vamos comer. Todos querem me agradar: pensam que, se estou convidando alguém, esta pessoa deve estar alegre e contente com a honra, qualquer outra coisa pode ficar para outro dia.

– Qual é seu nome? – pergunta Marie.

– Mikhail.

– Mikhail – e vejo que Marie entendeu tudo –, você virá conosco pelo menos por uma hora; o restaurante aonde vamos comer é aqui perto. Depois o chofer o levará aonde quiser. Mas, se preferir, cancelamos nossa reserva e vamos todos jantar no restaurante armênio, assim você fica mais à vontade.

Eu não me canso de olhá-lo. Não é especialmente bonito, nem especialmente feio. Nem alto, nem baixo. Está vestido de negro, simples e elegante – e por elegância entendo a total ausência de marcas ou grifes.

Marie agarra Mikhail pelo braço, e caminha para a saída. O livreiro ainda tem uma pilha de livros de leitores que não puderam vir, e que eu deveria assinar – mas prometo que passarei no dia seguinte. Minhas pernas estão tremendo, meu coração está disparado, e no entanto tenho que fingir que tudo está bem, que estou contente com o êxito, que estou interessado neste ou naquele comentário. Cruzamos a avenida dos Champs-Élysées, o sol está se pondo por detrás do Arco do Triunfo, e, sem qualquer explicação, entendo que aquilo é um sinal, um bom sinal.

Desde que eu saiba lidar com a situação.

Por que desejo falar com ele? O pessoal da editora continua conversando comigo, respondo automaticamente, ninguém percebe que estou longe, sem entender direito a razão de convidar para a mesma mesa alguém a quem devia odiar. Desejo descobrir onde Esther se encontra? Desejo vingança contra aquele rapaz, tão inseguro, tão perdido, e que mesmo assim conseguiu afastar a pessoa que amo? Desejo provar a mim mesmo que sou melhor, muito melhor que ele? Desejo suborná-lo, seduzi-lo, para que convença minha mulher a voltar? Não sei responder a nenhuma destas perguntas, e isso não tem a menor importância. Até agora a única frase que disse foi: "gostaria que viesse jantar conosco." Já tinha imaginado muitas vezes a cena: encontrar os dois, agarrá-lo pelo pescoço, dar-lhe um soco, humilhá-lo na frente de Esther; ou levar uma surra, e fazê-la ver que estava lutando, sofrendo por ela. Imaginei cenas de agressão, ou de indiferença fingida, de escândalo público, mas jamais me passou pela cabeça a frase: "gostaria que viesse jantar conosco."

Nada de perguntas sobre o que farei a seguir, tudo que preciso fazer é vigiar Marie, que caminha alguns passos na minha frente, agarrada ao braço de Mikhail – como se fosse sua namorada. Ela não pode deixá-lo partir e, ao mesmo tempo, eu me pergunto por que me ajuda desta maneira – sabendo que o encontro com este rapaz pode também significar descobrir o paradeiro de minha mulher.

Chegamos. Mikhail faz questão de sentar-se longe de mim, talvez deseje evitar conversas paralelas. Alegria, champagne, vodca e caviar – olho o menu, descubro horrorizado que só nas entradas o livreiro está gastando em torno de mil dólares. Conversas gerais, perguntam a Mikhail o que achou da tarde, ele diz que gostou, perguntam do livro, ele diz que gostou muito. Logo é esquecido, e as atenções se viram para mim – se estou contente, se a fila foi organizada como eu queria, se a equipe de segurança funcionou bem. Meu coração continua disparado, mas consigo manter a aparência, agradecer por tudo, pela perfeição como o evento foi concebido e realizado.

Meia hora de conversa, muitas vodcas depois, e noto que Mikhail está relaxado. Não é o centro das atenções, não precisa dizer nada, basta agüentar mais um pouco e pode ir embora. Sei que não mentiu a respeito do restaurante armênio, e agora tenho uma pista. Minha mulher então continua em Paris! Preciso ser amável, tentar ganhar sua confiança, as tensões iniciais desapareceram.

Uma hora se passa. Mikhail olha o relógio e vejo que irá partir. Tenho que fazer alguma coisa – imediatamente. Cada vez que o olho me sinto mais insignificante, e entendo menos como é que Esther me trocou por alguém que parece tão fora da realidade (ela mencionava que ele tinha poderes "mágicos"). Mesmo que seja muito difícil fingir que estou à vontade, conversando com alguém que é meu inimigo, preciso fazer algo.

– Vamos saber algo mais de nosso leitor – digo para a mesa, que fica imediatamente em silêncio. – Ele está aqui, vai ter que ir embora daqui a pouco, quase não falou de sua vida. O que você faz?

Mikhail, apesar das vodcas que tomou, parece recuperar a sobriedade.

– Organizo encontros no restaurante armênio.

– O que isso quer dizer?

– Que conto histórias no palco. E deixo que as pessoas na platéia também contem suas histórias.

– Eu faço a mesma coisa em meus livros.

– Eu sei. Foi isso que fez com que me aproximasse...

Ele vai dizer quem é!

– Nasceu aqui? – pergunta Marie, interrompendo imediatamente a continuação da frase ("... que me aproximasse de sua mulher".).

– Nasci nas estepes do Casaquistão.

Casaquistão. Quem vai ter coragem de perguntar onde é o Casaquistão?

– Onde é o Casaquistão? – pergunta o representante de vendas.

Bem-aventurados os que não têm medo de esconder aquilo que não sabem.

– Eu já esperava por esta pergunta – e agora os olhos de Mikhail demonstram uma certa alegria. – Sempre quando digo que nasci ali, dez minutos depois estão dizendo que venho do Paquistão, do Afeganistão. Meu país fica na Ásia Central. São apenas 14 milhões de habitantes para uma superfície muitas vezes maior que a França, com seus 60 milhões.

– Ou seja, um lugar onde ninguém reclama de falta de espaço – comenta meu editor, rindo.

– Um lugar onde, durante o século XX, ninguém tinha o direito de reclamar de nada, mesmo que quisesse. Primeiro, quando o regime comunista acabou com a propriedade privada, o gado ficou abandonado nas estepes, e 48,6% dos habitantes morreram de fome. Vocês entendem? Quase a metade da população do meu país morreu de fome entre 1932 e 1933.

O silêncio toma conta da mesa. Afinal, tragédias atrapalham a comemoração, e um dos presentes resolve mudar de assunto. Entretanto, eu insisto que o "leitor" continue falando do seu país.

– Como é a estepe? – pergunto.

– Gigantescas planícies quase sem vegetação, você deve saber.

Eu sei, mas era minha vez de perguntar algo, manter a conversa.

– Me lembrei algo sobre o Casaquistão – diz meu editor. – Há algum tempo, recebi um manuscrito de algum escritor que mora ali, descrevendo os testes atômicos que foram realizados na estepe.

– Nosso país tem sangue em sua terra, e em sua alma. Mudou o que não podia ter mudado, e pagaremos o preço disso por muitas gerações. Conseguimos fazer com que um mar inteiro desaparecesse.

É a vez de Marie interferir.

– Ninguém faz desaparecer um mar.

– Tenho 25 anos, e demorou apenas este tempo, uma simples geração, para que a água que estava ali há milênios se transformasse em poeira. Os governantes do regime comunista resolveram mudar o curso de dois rios, Amu-Darya e Syr-Darya, de modo que pudessem irrigar algumas plantações de algodão. Não conseguiram seu objetivo, mas era tarde demais – o mar deixou de existir, e a terra cultivada se transformou em deserto. "A falta de água afetou por completo o clima local. Hoje em dia, gigantescas tempestades de areia espalham 150 mil toneladas de sal e de pó todo ano. Cinqüenta milhões de pessoas em cinco países foram afetadas pela decisão irresponsável – mas irreversível – dos burocratas soviéticos. O pouco que sobrou de água é poluída, foco de todo tipo de doença."

Anotei mentalmente o que dizia. Podia ser útil para alguma de minhas conferências. Mikhail continuou, e seu tom nada tinha de ecológico, mas de trágico.

– Conta meu avó que o mar de Aral era antigamente chamado de mar Azul, por causa da cor de sua água. Hoje já não está mais lá, e mesmo assim as pessoas não querem deixar suas casas e mudar-se para outro local: ainda sonham com as ondas, os peixes, ainda guardam suas varas de pescar e conversam sobre barcos e iscas.

– Mas, as explosões atômicas, é mesmo verdade? – insiste meu editor.

– Penso que todos que nasceram em meu país sabem o que sua terra sentiu, porque todo casaque tem sua terra no sangue.

Durante 40 anos as planícies foram sacudidas por bombas nucleares ou termonucleares, num total de 456 até 1989. Destas explosões, 116 foram feitas em espaço aberto, somando uma potência 2.500 vezes maior que a bomba que foi jogada na cidade japonesa de Hiroshima, durante a II Guerra Mundial. O resultado é que milhares de pessoas foram contagiadas com radioatividade, câncer no pulmão, enquanto nasciam outros milhares de crianças com deficiências motoras, ausência de membros ou problemas mentais.

Mikhail olha o relógio.

– Se me permitem, preciso ir.

Metade da mesa lamenta, a conversa estava ficando interessante. A outra metade fica contente: é um absurdo falar de coisas trágicas em uma noite tão alegre.

Mikhail cumprimenta todos com um aceno de cabeça e me abraça. Não porque sente um afeto especial por mim, mas para poder sussurrar:

– Como eu disse antes, ela está bem. Não se preocupe.

–**N**ão se preocupe, ele me disse! Por que estaria preocupado: por uma mulher que me abandonou? Que me fez ser interrogado pela polícia, sair na primeira página de jornais e revistas de escândalo, sofrer dias e noites, quase perder meus amigos, e...

– ... e escrever *Tempo de rasgar, tempo de costurar*. Por favor, somos adultos, vividos, não vamos ficar nos enganando: claro que você gostaria de saber como ela está.

"E vou mais longe ainda: você quer vê-la."

– Se sabe disso, por que facilitou meu encontro com ele? Agora tenho uma pista: se apresenta todas as quintas-feiras no tal restaurante armênio.

– Muito bem. Siga em frente.

– Você não me ama?

– Mais do que ontem e menos do que amanhã, como diz um destes cartões-postais que compramos em papelarias. Sim, eu te amo. Na verdade, estou perdidamente apaixonada, começo a pensar em mudar-me para cá, para este gigantesco e solitário apartamento – e sempre que toco no tema, quem muda é você... de assunto. Mesmo assim, esqueço meu amor-próprio e insinuo como seria importante vivermos juntos, escuto que ainda é cedo para isso, penso que talvez sinta que pode perder-me como perdeu Esther, ou que ainda espera sua volta, ou que será privado de sua liberdade, tem medo de ficar sozinho e tem medo de ficar acompanhado – enfim, uma loucura completa essa nossa relação. Mas, já que perguntou, essa é a resposta: te amo muito.

– Então, por que fez isso?

– Porque não posso conviver eternamente com o fantasma da mulher que partiu sem explicações. Li seu livro. Acredito que, somente quando encontrá-la, quando resolver este assunto, seu coração poderá ser realmente meu.

"Foi isso que aconteceu com meu vizinho: eu o tinha perto o suficiente para ver como foi covarde com nossa relação, como jamais assumiu o que ele tanto desejava, mas achava perigoso demais para ter. Muitas vezes você disse que a liberdade absoluta não existe: o que existe é a liberdade de escolher qualquer coisa, e a partir daí tornar-se comprometido com sua decisão. Quanto mais estava perto do meu vizinho, mais admirava você: um homem que aceitou continuar amando uma mulher que o abandonou, que não quer mais saber dele. Não apenas aceitou, como resolveu tornar isso público. Eis aqui um trecho do seu livro, que sei de cor:

"*Quando eu não tive nada a perder, eu recebi tudo. Quando deixei de ser quem era, encontrei a mim mesmo. Quando conheci a humilhação e mesmo assim continuei caminhando, entendi que era livre para escolher meu destino. Não sei se estou doente, se meu casamento foi um sonho que não consegui compreender enquanto durou. Sei que posso viver sem ela, mas gostaria de encontrá-la de novo – para dizer o que nunca disse enquanto estávamos juntos: eu te amo mais do que a mim mesmo. Se eu puder dizer isso, então poderei seguir adiante, em paz – porque este amor me redimiu.*"

– Mikhail me disse que Esther deve ter lido isso. É o suficiente.

– Mesmo assim, para poder ter você, é preciso que a encontre e lhe diga isso frente a frente. Talvez seja impossível, ela não o queira ver mais – mas você tentou. Eu me livrarei da "mulher ideal", e você não terá mais a presença absoluta do Zahir, como chama.

– Você tem coragem.

– Não, eu tenho medo. Mas não tenho escolha.

Na manhã seguinte, jurei a mim mesmo que não iria tentar saber o paradeiro de Esther. Inconscientemente, durante dois anos preferi acreditar que ela tinha sido forçada a partir, seqüestrada ou chantageada por um grupo terrorista. Mas agora que sabia que ela estava viva, passando muito bem (como me dissera o rapaz), por que insistir em tornar a vê-la? Minha ex-mulher tinha direito à busca da felicidade, e eu precisava respeitar sua decisão.

Este pensamento durou pouco mais de quatro horas: no final da tarde, fui até uma igreja, acendi uma vela e de novo fiz uma promessa, desta vez de maneira sagrada, ritual: procurar encontrá-la. Marie tinha razão, já era adulto o suficiente para continuar me enganando, fingindo que isso não me interessava. Eu respeitava sua decisão de ir embora, mas a mesma pessoa que tanto me ajudara a construir minha vida, quase me destruíra. Sempre fora corajosa: por que desta vez fugiu como um ladrão no meio da noite, sem encarar seu marido nos olhos e explicar a razão? Éramos adultos o suficiente para agir e agüentar a conseqüência de nossos atos: o comportamento de minha mulher (corrigindo: ex-mulher) não combinava com ela, e eu precisava saber por quê.

* * *

Faltava ainda uma semana – uma eternidade – para a tal peça de teatro. Nos dias que se seguiram aceitei dar entrevistas que não aceitaria nunca, escrevi vários artigos para jornal, fiz ioga, meditação, li um livro sobre um pintor russo, outro sobre um crime no Nepal, escrevi dois prefácios e fiz quatro recomendações de livros para editores que sempre me pediam, e que eu sempre negava.

Mas, assim, ainda sobrava muito tempo, e aproveitei para pagar algumas contas do Banco de Favores – aceitando convites para jantar, rápidas palestras em escolas onde filhos de amigos estudavam, visita a um clube de golfe, autógrafos improvisados na livraria de um amigo na avenida de Suffren (cuja divulgação foi feita com um cartaz na vitrine por três dias, e que conseguiu reunir no máximo 20 pessoas). Minha secretária disse que eu devia estar muito contente, já que há tempo não me via tão ativo: respondi que ter o livro na lista dos mais vendidos me estimulava a trabalhar ainda mais.

Só não fiz duas coisas naquela semana: a primeira foi continuar sem ler manuscritos – conforme meus advogados, estes sempre precisavam ser devolvidos imediatamente por correio, ou mais tarde eu correria o risco de alguém dizer que eu tinha aproveitado uma história sua (nunca entendi por que as pessoas me enviavam manuscritos – afinal de contas, eu não sou editor).

A segunda coisa que não fiz foi procurar no Atlas onde ficava o Casaquistão, embora soubesse que, para ganhar a confiança de Mikhail, precisaria saber um pouco mais sobre suas origens.

*A*s pessoas aguardam pacientemente a abertura da porta que leva ao salão situado na parte dos fundos do restaurante. Nenhum charme dos bares de Saint-Germain des Prés, nada de café com um pequeno copo de água, gente bem-vestida e bem falante. Nenhuma elegância das salas de entrada de peças de teatro, nada da magia de espetáculos que aconteciam em toda a cidade, em pequenos bistrôs, com seus artistas dando sempre o melhor de si, na esperança que na platéia estivesse algum famoso empresário que se identificaria no final do show, afirmasse que eram geniais e os convocasse para apresentar-se em algum importante centro cultural.

Na verdade, não entendo como é que o lugar está tão cheio: jamais vi qualquer referência nas revistas especializadas em entretenimento e eventos artísticos de Paris.

Enquanto espero, converso com o dono – e descubro que está planejando em breve usar todo o espaço do seu restaurante.

– O público cresce a cada semana – diz. – No início, aceitei porque uma jornalista me pediu, e em troca prometeu publicar algo sobre meu restaurante em sua revista. Aceitei porque o salão é raramente usado nas quintas-feiras. Agora, enquanto esperam, aproveitam para jantar, e talvez seja a melhor receita financeira da semana. Tenho medo de apenas uma coisa: de que seja uma seita. Como o senhor sabe, as leis aqui são muito rígidas.

Sim, eu sabia – e houve até quem insinuasse que meus livros estavam ligados a uma perigosa corrente de pensamento, a uma pregação religiosa que não condizia com os valores comumente aceitos. A França, tão liberal com praticamente tudo, tinha uma espécie de paranóia a respeito do tema. Recentemente fora publicado um extenso relatório sobre a "lavagem cerebral" que certos grupos praticavam em pessoas incautas. Como se as pessoas soubessem escolher tudo – escola, universidade, pasta de dentes, automóveis, filmes, maridos, mulheres, amantes –, mas, em matéria de fé, se deixassem manipular facilmente.

– Como é feita a divulgação? – pergunto.

– Não tenho a menor idéia. Se soubesse, usaria a mesma pessoa para promover meu restaurante.

E apenas para tirar qualquer dúvida, já que não sabe quem sou:

– Não se trata de nenhuma seita, posso garantir. São artistas.

A porta do salão é aberta, a multidão entra – depois de deixar cinco euros em uma pequena cesta na entrada. Lá dentro, impassíveis no palco improvisado, dois rapazes e duas moças, todos usando saias brancas, rodadas e armadas, criando uma grande circunferência em torno do corpo. Além dos quatro, noto também um homem de mais idade, com um atabaque nas mãos, e uma mulher, com um gigantesco prato de bronze cheio de apliques; toda vez que ela esbarra sem querer em seu instrumento, escutamos o som de uma chuva de metal.

Um dos jovens é Mikhail, agora completamente diferente do rapaz que encontrei em minha tarde de autógrafos: seu olhar, fixando um ponto vazio no espaço, tem um brilho especial.

As pessoas vão se acomodando nas cadeiras espalhadas pela sala. Rapazes e moças vestidos de tal maneira que, se encontras-

se na rua, acharia que pertenciam a uma grupo viciado em drogas pesadas. Executivos ou funcionários de meia-idade, com
suas esposas. Duas ou três crianças de nove ou dez anos, possivelmente trazidas por seus pais. Alguns poucos idosos, que
devem ter feito muito esforço para chegar até aqui, já que a estação de metrô mais próxima se encontra a quase cinco quartei-
rões de distância.

Bebem, fumam, conversam alto, como se as pessoas no palco não existissem. Aos poucos a conversa fica cada vez mais alta,
escutam-se muitas gargalhadas, o ambiente é de alegria e de festa. Seita? Só se fosse uma confraria de fumantes. Olho ansiosa-
mente de um lado para o outro, julgo ver Esther em todas as
mulheres que estão ali, mas, sempre que chego perto, trata-se de
uma outra pessoa – às vezes sem qualquer semelhança física com
a minha esposa (por que não me acostumo a dizer "minha ex-
esposa"?).

Pergunto a uma mulher bem-vestida o que é aquilo. Ela
parece sem paciência para responder – olha-me como se fosse
um principiante, uma pessoa que precisasse ser educada nos
mistérios da vida.

– Histórias de amor – diz ela. – Histórias e energia.

Histórias e energia. Melhor não insistir, embora a mulher
tenha a aparência de ser absolutamente normal. Penso em perguntar para outra pessoa, resolvo que é melhor ficar calado –
daqui a pouco descobrirei por mim mesmo. Um senhor ao meu
lado me olha e sorri:

– Já li seus livros. E, claro, sei por que razão está aqui.

Eu fico assustado: será que ele conhece a relação entre
Mikhail e minha esposa – preciso corrigir-me de novo – a relação entre uma das pessoas no palco e minha ex-esposa?

– Um autor como você conhece os Tengri. Eles têm uma
relação direta com o que chama de "guerreiros da luz".

– Claro – respondo aliviado.

E penso: nunca ouvi falar disso.

Vinte minutos depois, quando o ar da sala está quase irrespirável por causa da fumaça dos cigarros, escuta-se o barulho do tal prato de metal com aplique em suas bordas. A conversa pára como por milagre, o ambiente de completa anarquia parece ganhar uma aura religiosa: tanto o palco como a platéia estão em silêncio, o único ruído que se escuta vem do restaurante ao lado.

Mikhail, que parece estar em transe, e continua fixando o ponto invisível diante de si, começa:

– Diz o mito mongol da criação do mundo:

Apareceu um cão selvagem que era azul e cinza
Cujo destino era imposto pelo céu.
Sua mulher era uma corça.

Sua voz é outra, mais feminina, mais segura.

– Assim começa mais uma história de amor. O cão selvagem com sua coragem, sua força, a corça com sua doçura, intuição, elegância. O caçador e a caça se encontram e se amam. Conforme as leis da natureza, um deveria destruir o outro – mas no amor não há bem nem mal, não há construção nem destruição, há movimentos. E o amor muda as leis da natureza.

Ele fez um gesto com a mão e os quatro giram em torno de si mesmos.

– Nas estepes de onde venho, o cão selvagem é um animal feminino. Sensível, capaz de caçar porque desenvolveu seu instinto, mas ao mesmo tempo tímido. Não usa a força bruta, usa a estratégia. Corajoso e cauteloso, rápido. Em um segundo muda de um estado de relaxamento total, para a tensão de saltar sobre seu objetivo.

E a corça?, pensei, já que estou acostumado a escrever histórias. Mikhail também estava acostumado a contá-las, e responde à pergunta que estava no ar:

– A corça tem os atributos masculinos: velocidade, entendimento da terra. Os dois viajam em seus mundos simbólicos, duas impossibilidades que se encontram, e porque superam suas naturezas e suas barreiras, tornam também o mundo possível. Assim é o mito mongol: das naturezas diferentes, nasce o amor. Na contradição, o amor ganha força. No confronto e na transformação, o amor se preserva.

"Temos nossa vida. O mundo custou muito até chegar onde está, nos organizamos da melhor maneira possível; não é o ideal, mas podemos conviver. Entretanto, falta alguma coisa – sempre falta alguma coisa, e é por isso que estamos reunidos aqui esta noite: para que cada um de nós ajude os outros a pensar um pouco na razão de sua existência. Contando histórias que não fazem sentido, procurando fatos que não se enquadram na maneira geral de perceber a realidade, até que, talvez em uma ou duas gerações, possamos descobrir um outro caminho.

"Quando o poeta italiano Dante escreveu *A divina comédia*, ele disse: *No dia em que o homem permitir que o verdadeiro amor apareça, as coisas que estão bem estruturadas se transformarão em confusão, e irão balançar tudo aquilo que achamos que é certo, que é verdade.* O mundo será verdadeiro quando o homem souber amar – até lá, viveremos achando que conhecemos o amor, mas sem coragem de enfrentá-lo tal como é.

"O amor é uma força selvagem. Quando tentamos controlá-lo, ele nos destrói. Quando tentamos aprisioná-lo, ele nos escraviza. Quando tentamos entendê-lo, ele nos deixa perdidos e confusos.

"Esta força está na terra para nos dar alegria, para nos aproximar de Deus e do nosso próximo: e mesmo assim, da maneira que amamos hoje, temos uma hora de angústia para cada minuto de paz."

Mikhail fez uma pausa. O estranho prato de metal tocou novamente.

– Como fazemos todas as quintas-feiras, não vamos contar histórias de amor. Vamos contar histórias de desamor. Vamos ver o que está na superfície, e entenderemos o que está por baixo: a camada onde se encontram nossos costumes, nossos valores. Quando conseguirmos furar esta camada, veremos que ali estamos nós. Quem começa?

Várias pessoas levantaram a mão. Ele apontou para uma moça de aparência árabe. Ela se virou para um homem sozinho, do outro lado da sala.

– Você já ficou impotente na cama com alguma mulher?

Todo mundo riu. O homem, porém, evitou a resposta direta.

– Você pergunta isso porque seu namorado é impotente?

Todo mundo riu de novo. Enquanto Mikhail falava, eu voltara a suspeitar que uma nova seita estava se formando, mas imagino que nas reuniões de seitas ninguém fuma, bebe ou faz perguntas constrangedoras sobre a atividade sexual do próximo.

– Não – disse a menina, com voz firme. – Mas já aconteceu com ele. E sei que, se você tivesse levado minha pergunta a sério, a resposta seria "sim, já aconteceu comigo". Todos os homens, em todas as culturas e países, independentemente do amor ou da atração sexual, já ficaram impotentes, muitas vezes com a pessoa que mais desejam. É normal.

Sim, era normal, e quem tinha me dado esta resposta era um psiquiatra, quando achei que eu tinha um problema.

A moça continuou:

– Entretanto, a história que nos foi contada é a seguinte: todos os homens sempre conseguem ter uma ereção. Quando não conseguem, eles acham que são incapazes, e as mulheres se convencem que não são atraentes o bastante para interessá-los. Como o assunto é um tabu, ele não conversa com seus amigos sobre isso. Diz para a mulher a famosa frase: "Foi a primeira vez que isso aconteceu." Tem vergonha de si mesmo, e na maior parte das vezes se afasta de alguém com quem poderia ter uma excelente relação, se tivesse permitido uma segunda, terceira, ou quarta chance. Se confiasse mais no amor dos amigos, se falasse a verdade, descobriria que não é o único. Se confiasse mais no amor da mulher, não se sentiria humilhado.

Aplausos. Cigarros eram de novo acesos, como se muita gente ali – mulheres e homens – sentisse um grande alívio.

Mikhail aponta para um senhor, com ar de executivo de multinacional.

– Sou advogado, envolvido em processos de separação litigiosa.

– O que é litigiosa? – pergunta alguém da audiência.

– Onde uma das duas pessoas não está de acordo – responde o advogado, irritado por ter sido interrompido, e com ar de quem acha um absurdo desconhecerem uma palavra tão simples.

– Continue – diz Mikhail, com uma autoridade que eu jamais seria capaz de reconhecer no rapaz que encontrara em minha tarde de autógrafos.

O advogado obedece:

– Recebi hoje um relatório da firma Human and Legal Resources, baseada em Londres. Diz o seguinte:

"A) dois terços dos empregados de uma firma têm algum tipo de relação afetiva. Imagine só! Em um escritório de três pessoas, isso significa que duas vão terminar tendo algum tipo de contacto íntimo.

"B) 10% terminam deixando o emprego por causa disso, 40% têm relações que demoram mais de três meses, e no caso de certas profissões que exigem longo tempo fora de casa, pelo menos oito em dez pessoas terminam se envolvendo entre si."

Não é inacreditável?

– Tratando-se de estatísticas, temos que respeitar! – comenta um dos jovens vestidos como se fosse parte de um perigoso grupo de assaltantes. – Nós todos acreditamos em estatísticas! Isso significa que minha mãe deve estar traindo o meu pai, e a culpa não é dela, é das estatísticas!

Mais risos, mais cigarros acesos, mais alívio, como se ali, naquela audiência, as pessoas estivessem escutando coisas que sempre temeram ouvir, e isso os libertasse de algum tipo de angústia. Penso em Esther e em Mikhail: "profissões que exigem longo tempo fora de casa, oito entre dez pessoas."

Penso em mim, e nas muitas vezes que isso também aconteceu. Afinal de contas, são estatísticas, não estamos sós.

Outras histórias são contadas – ciúme, abandono, depressão – mas eu não estou mais prestando atenção. Meu Zahir voltou com toda a intensidade – estou na mesma sala com o homem que roubou minha mulher, embora tenha acreditado por alguns instantes que me encontrava apenas fazendo terapia de grupo. Meu vizinho, que tinha me reconhecido, pergunta se estou gostando. Por um momento, ele me distrai do meu Zahir, e fico contente de responder.

– Não estou entendendo o objetivo. Parece um grupo de auto-ajuda, como alcoólicos anônimos ou conselheiros matrimoniais.

– Mas o que você está escutando não é real?

– Pode ser. Mas repito: qual é o objetivo?

– Essa não é a parte mais importante da noite – é apenas uma maneira de não nos sentirmos sozinhos. Recontando nossas vidas diante de todos, terminamos por descobrir que a maior parte das pessoas viveu a mesma coisa.

– E o resultado prático?

– Se não estamos sozinhos, temos mais força para saber onde nos desviamos, e mudar de rumo. Mas, como eu disse, isso é apenas um intervalo entre o que o menino diz no início, e o momento de invocar a energia.

– Quem é o menino?

A conversa é interrompida pelo barulho do prato de metal. Desta vez é o velho, diante do atabaque, que está falando.

– O lado do raciocínio está terminado. Vamos ao ritual, à emoção que tudo coroa e que tudo transforma. Para aqueles que estão hoje aqui pela primeira vez, esta dança desenvolve nossa capacidade de aceitar o Amor. O Amor é a única coisa que ativa a inteligência e a criatividade, algo que nos purifica e nos liberta.

Os cigarros são apagados, o barulho de copos termina. O estranho silêncio desce de novo sobre a sala, e uma das meninas faz uma prece.

– Senhora, dançaremos em sua homenagem. Que nossa dança nos faça voar até o alto.

Ela disse "senhora", ou eu escutei errado?

Com certeza ela disse "senhora".

A outra menina acende quatro candelabros com velas, as luzes são apagadas. As quatro figuras vestidas de branco, com suas saias rodadas, desceram do palco e se misturaram com a platéia. Por quase meia hora, o segundo rapaz, com uma voz que parecia sair do seu ventre, entoa um canto monótono, repetitivo, mas que – curiosamente – me fazia esquecer um pouco o Zahir, relaxar, sentir uma espécie de sonolência. Mesmo uma das crianças, que corria de um lado para o outro durante toda a parte de "recontar o amor", agora estava quieta, olhando fixamente em direção ao palco. Alguns dos presentes têm os olhos fechados, outros contemplam o chão ou um ponto fixo, invisível, como eu vira Mikhail fazer.

Quando ele pára de cantar, começam os instrumentos de percussão – o tal prato de metal com apliques e o atabaque –

com um ritmo muito semelhante ao que estava acostumado a ver nas cerimônias de religiões vindas da África.

As figuras vestidas de branco giram em torno de si mesmas – e o público, naquele lugar lotado, abre espaço para que as saias rodadas tracem movimentos no ar. Os instrumentos aumentam o ritmo, os quatro giram cada vez mais depressa, deixando escapar sons que não faziam parte de nenhuma língua conhecida – como se estivessem falando diretamente com anjos, ou com a "senhora", como tinha sido dito.

Meu vizinho levantou-se, e também começou a dançar e murmurar frases incompreensíveis. Dez ou 11 pessoas na platéia fazem o mesmo, enquanto o resto assiste com um misto de reverência e admiração.

Não sei quanto tempo durou aquela dança, mas o som dos instrumentos parecia seguir as batidas do meu coração, e eu tive uma imensa vontade de entregar-me, falar coisas estranhas, movimentar meu corpo – foi preciso um misto de autocontrole e senso de ridículo, para que eu não começasse a girar como um louco em torno de mim mesmo. Entretanto, como nunca antes, a figura de Esther, o meu Zahir, parecia estar na minha frente, sorrindo, pedindo que eu louvasse a "senhora".

Eu lutava para não entrar naquele ritual que eu não conhecia, para que tudo acabasse logo. Procurava concentrar-me no meu objetivo de estar ali naquela noite – conversar com Mikhail, fazer com que me levasse até o meu Zahir –, mas senti que era impossível continuar imóvel. Levantei-me da cadeira, e quando ensaiava, com cuidado e timidez, os primeiros passos, a música parou abruptamente.

No salão iluminado apenas por velas, tudo que podia ouvir era a respiração ofegante dos que tinham dançado. Aos poucos, o som da respiração foi diminuindo, as luzes tornaram a ser acesas, e tudo parecia ter voltado ao normal. Pude ver que os copos tornavam a se encher de cerveja, vinho, água, refrigerante, as crianças recomeçaram a correr e falar alto, e logo estavam todos conversando – como se nada, absolutamente nada de mais tivesse acontecido.

– Está na hora de terminarmos o encontro – disse a menina que tinha acendido as velas. – Alma tem a história final.

Alma era a mulher que tocava o prato de metal. Falou com um sotaque de alguém que vivera no Oriente.

– O mestre tinha um búfalo. Os chifres afastados faziam-no pensar que, se conseguisse sentar entre eles, seria o mesmo que estar em um trono. Certo dia, quando o animal estava distraído, ele foi até lá e fez o que sonhava. Na mesma hora, o búfalo levantou-se e atirou-o longe.

"Sua mulher, ao ver aquilo, começou a chorar.

"Não chore", disse o mestre, assim que conseguiu recuperar-se. "Tive meu sofrimento, mas também realizei o meu desejo."

As pessoas começaram a sair. Perguntei ao meu vizinho o que ele havia sentido.

– Você sabe. Você escreve isso em seus livros.

Eu não sabia, mas precisava fingir.

– Pode ser que eu saiba. Mas quero ter certeza.

Ele me olhou como se eu não soubesse, e pela primeira vez começou a duvidar se eu era mesmo o escritor que julgava conhecer.

– Estive em contacto com a energia do Universo – respondeu. – Deus passou por minha alma.

E saiu, para não precisar explicar o que estava dizendo.

Na sala deserta ficaram apenas os quatro atores, os dois músicos e eu. As mulheres foram ao banheiro feminino do restaurante, possivelmente para trocar de roupa. Os homens se despiram das vestimentas brancas ali mesmo no salão, e colocaram suas roupas normais. Em seguida, começaram a guardar os candelabros e os instrumentos em duas valises grandes.

O senhor mais velho, que tinha tocado atabaque durante a cerimônia, começou a contar o dinheiro, e dividiu-o em seis pilhas iguais. Penso que foi só neste instante que Mikhail notou minha presença.

– Eu esperava vê-lo por aqui.

– E imagino que sabe a razão.

– Depois de permitir que a energia divina passe por meu corpo, eu sei a razão de tudo. Sei a razão do amor e da guerra. Sei a razão de um homem buscar a mulher que ama.

Senti que de novo estava caminhando pelo fio de uma navalha. Se ele sabia que eu estava ali por causa do meu Zahir, sabia também que isso era uma ameaça para seu relacionamento.

– Podemos conversar como dois homens de honra, que lutam por algo que vale a pena?

Mikhail pareceu vacilar um pouco. Eu continuei:

– Sei que sairei machucado, como o mestre que quis sentar-se entre os chifres do búfalo: mas acho que mereço. Mereço isso pela dor que causei, mesmo que inconscientemente. Não creio que Esther me deixaria se eu tivesse respeitado seu amor.

– Você não entende nada – disse Mikhail.

Aquela frase me irritou. Como um rapaz de 25 anos podia dizer a um homem vivido, sofrido, testado pela vida, que ele não entendia nada? Mas eu precisava me controlar, me humilhar, fazer o que fosse necessário: não podia seguir convivendo com fantasmas, não podia deixar que o meu universo inteiro continuasse sendo dominado pelo Zahir.

– Pode ser que eu realmente não entenda: justamente para isso estou aqui. Para entender. Para libertar-me através da compreensão do que aconteceu.

– Você entendia tudo muito bem e, de repente, deixou de entender; pelo menos foi isso que Esther me contou. Como todos os maridos, chega um momento em que começa a considerar a esposa como parte dos móveis e utensílios da casa. Minha tentação era dizer: "gostaria, então, que ela me contasse, me desse chance de corrigir meus erros, e não que me deixasse por um rapaz de vinte e poucos anos, que em breve estará agindo da mesma maneira que agi." Mas uma frase mais cuidadosa saiu de minha boca:

– Não creio que seja assim. Você leu meu livro, você foi até a minha tarde de autógrafos porque sabe o que sinto, e queria me deixar mais tranqüilo. Meu coração ainda continua em frangalhos: você alguma vez já ouviu falar no Zahir?

– Fui educado na religião islâmica. Conheço a idéia do Zahir.

– Pois Esther ocupa todo o espaço de minha vida. Achei que, ao escrever o que sentia, me livraria de sua presença. Hoje a amo de maneira mais silenciosa, mas não consigo pensar em outra coisa. Eu lhe peço por favor: farei o que desejar, mas preciso que me explique por que ela desapareceu desta maneira. Como você mesmo disse, eu não entendo nada.

Era duro estar ali implorando ao amante de minha mulher que me ajudasse a compreender o que se havia passado. Se Mikhail não tivesse aparecido na tarde de autógrafos, talvez aquele momento na catedral de Vitória, onde aceitei o meu amor e escrevi *Tempo de rasgar, tempo de costurar*, tivesse sido o suficiente. O destino, porém, tinha outros planos – e a simples possibilidade de poder reencontrar minha mulher mais uma vez tornava a desequilibrar tudo.

– Almoçamos juntos – disse Mikhail, depois de um longo tempo. – Você realmente não entende nada. Mas a energia divina, que hoje atravessou meu corpo, é generosa com você.

Marcamos o encontro para o dia seguinte. No caminho de volta, lembrei-me de uma conversa com Esther, ocorrida três meses antes de seu desaparecimento.

Uma conversa sobre a energia divina atravessando o corpo.

*R*ealmente seus olhos são diferentes. Existe o medo da morte, sim – mas acima do medo da morte, existe a idéia do sacrifício. As suas vidas têm um sentido, porque eles estão prestes a oferecê-las por uma causa.

– Você fala dos soldados?

– Falo dos soldados. E falo de uma coisa que é terrível para mim aceitar, mas que não posso fingir que não vejo. A guerra é um rito. Um rito de sangue, mas um rito de amor.

– Você perdeu o juízo.

– Talvez. Conheci outros correspondentes de guerra. Vão de um país a outro, como se a rotina da morte fizesse parte de suas vidas. Não têm medo de nada, enfrentam o perigo como um soldado enfrenta. Tudo por uma notícia? Não creio. Já não conseguem viver sem o perigo, a aventura, a adrenalina no sangue. Um deles, casado e com três filhos, me disse que o lugar onde sente-se melhor é no campo de batalha – embora adore sua família, fala o tempo todo sobre a mulher e as crianças.

– É realmente impossível entender. Esther, não quero interferir em sua vida, mas acho que esta experiência terminará lhe fazendo mal.

– O que me fará mal é viver uma vida sem sentido. Na guerra, todo mundo sabe que está experimentando alguma coisa importante.

– Um momento histórico?

– Não, isso não é suficiente para arriscarem a vida. Experimentando... a verdadeira essência do homem.

– A guerra.

– Não, o amor.

– Você está ficando como eles.

– Acho que sim.

– Diga à sua agência de notícias que basta.

– Não consigo. É como se fosse uma droga. Se estou no campo de batalha, minha vida tem um sentido. Fico dias sem tomar banho, me alimento de rações de soldados, durmo três horas por noite, acordo com barulho de tiros, sei que a qualquer instante alguém pode jogar uma granada no lugar onde estamos, e isso me faz... viver, entende? Viver, amar cada minuto, cada segundo. Não existe espaço para tristeza, dúvidas, para nada: resta apenas um grande amor pela vida. Você está prestando atenção?

– Totalmente.

– É como se... uma luz divina... estivesse ali, no meio dos combates, no meio daquilo que existe de pior. O medo existe antes e depois, mas não no momento em que os tiros estão sendo disparados. Porque, nesta hora, você vê o homem em seu limite: capaz dos gestos mais heróicos e mais desumanos. Saem debaixo de uma saraivada de balas para resgatar um companheiro, e ao mesmo tempo atiram em tudo que se move – crianças, mulheres, quem estiver na linha de combate vai morrer. Pessoas que sempre foram honestas, em suas pequenas cidades do interior onde nada acontece, invadem museus, destroem peças que resistiram séculos e roubam coisas de que não necessitam. Tiram fotos de atrocidades que eles mesmos cometeram e se orgulham disso, ao invés de tentar esconder. É um mundo louco.

"Pessoas que sempre foram desleais, traiçoeiras, sentem uma espécie de camaradagem e cumplicidade, e passam a ser incapazes de um gesto errado. Ou seja, tudo funciona exatamente ao contrário."

– Ajudou a responder à pergunta que Hans fez a Fritz em um bar de Tóquio, conforme a história que me contou?

– Sim. A resposta está em uma frase do jesuíta Teilhard de Chardin, o mesmo que disse que nosso mundo estava envolto por uma camada de amor: "Já dominamos a energia do vento, dos mares, do sol. Mas no dia em que o homem souber dominar a energia do amor, será algo tão importante como foi a descoberta do fogo."

– E só aprendeu isso porque foi para a frente de batalha?

– Não sei. Mas vi que, na guerra, por mais paradoxal que seja, as pessoas estão felizes. O mundo, para elas, tem um sentido. Como disse antes, o poder total, ou o sacrifício por uma causa, dá um significado às suas vidas. Elas são capazes de amar sem limite, porque já não têm nada a perder. Um soldado ferido de morte nunca pede à equipe médica: "Por favor, me salve!" Suas últimas palavras são geralmente: "Diga a meu filho e minha mulher que eu os amo." No momento de desespero, eles falam de amor!

– Ou seja, na sua opinião, o ser humano só encontra sentido na vida, quando está em uma guerra.

– Mas estamos sempre em uma guerra. Estamos sempre em uma luta contra a morte, e sabemos que a morte vai ganhar no final. Nos conflitos armados isso é mais visível, mas na vida diária acontece o mesmo. Não podemos nos dar o luxo de ser infelizes o tempo todo.

– O que você quer que eu faça?

– Preciso de ajuda. E ajuda não é dizer: "vá e peça demissão", porque isso me deixa mais confusa que antes. Precisamos descobrir uma maneira de canalizar isso, deixar que a energia deste amor puro, absoluto, passe por nosso corpo e se espalhe ao redor. A única pessoa que conseguiu me entender até agora foi um intérprete que fala que teve revelações a respeito desta energia, mas ele me parece um pouco fora da realidade.

– Você está por acaso falando do amor de Deus?

– Se uma pessoa é capaz de amar seu parceiro sem restrições, sem condições, ela está manifestando o amor de Deus. Se manifesta o amor de Deus, ela amará o seu próximo. Se amar o seu próximo, amará a si mesmo. Se amar a si mesma, as coisas voltam para o seu lugar. A História muda.

"A História jamais mudará por causa da política, ou das conquistas, ou das teorias, ou das guerras – tudo isso é apenas repetição, é algo que vemos desde o início dos tempos. A História mudará quando pudermos usar a energia do amor, assim como usamos a energia do vento, dos mares, do átomo."

– Você acha que nós dois podemos salvar o mundo?

– Acho que tem mais gente pensando da mesma maneira. Você me ajuda?

– Claro, desde que me diga o que devo fazer.

– Mas é justamente isso que eu não sei!

A simpática pizzaria que eu freqüentava desde minha primeira viagem a Paris era agora parte da minha história: a vez mais recente que estivera ali fora para celebrar o recebimento da medalha de Oficial de Artes e de Letras, que me tinha sido dada pelo Ministério da Cultura – embora muita gente achasse que um restaurante mais caro e mais elegante seria o lugar ideal para comemorar um acontecimento tão importante. Mas Roberto, o dono do lugar, era uma espécie de fetiche para mim; sempre que ia a seu restaurante, algo bom acontecia em minha vida.

– Eu podia começar falando de amenidades, como a repercussão de *Tempo de rasgar, tempo de costurar,* ou de minhas emoções contraditórias durante o seu espetáculo de teatro.

– Não é um espetáculo de teatro, é um encontro – ele corrigiu. – Contamos histórias e dançamos para a energia do amor.

– Eu podia falar qualquer coisa para deixá-lo mais à vontade. Mas nós dois sabemos por que estamos sentados aqui.

– Estamos aqui por causa de sua mulher – disse um Mikhail que exibia o ar desafiante de jovens da sua idade, e em nada parecia o rapaz tímido da tarde de autógrafos, ou o líder espiritual do tal "encontro".

– Você errou na expressão: ela é minha ex-mulher. E gostaria de lhe pedir um favor: que me leve até ela. Que ela me diga, olhando em meus olhos, a razão de ter ido embora. Só a partir deste momento ficarei livre do meu Zahir. Caso contrário, pensarei dia e noite, noite e dia, revendo nossa história centenas, milhares de vezes. Tentando descobrir o momento em que errei, e que nossos caminhos começaram a se distanciar.

Ele riu.

– Ótima idéia rever a história, é assim que as coisas mudam.

– Perfeito, mas prefiro deixar as discussões filosóficas de lado. Sei que, como todo jovem, você tem nas mãos a fórmula exata de corrigir o mundo. Como todo jovem, chegará um dia que terá minha idade, e verá que não é tão fácil assim mudar as coisas. Inútil, entretanto, ficar conversando sobre isso agora – pode me fazer o favor que estou pedindo?

– Antes quero perguntar: ela se despediu?

– Não.

– Ela disse que ia embora?

– Ela não disse. Você sabe disso.

– Você acha que, sendo Esther quem é, ela seria capaz de deixar um homem com quem viveu mais de dez anos, sem antes enfrentá-lo e explicar suas razões?

– Pois é isso justamente o que mais me incomoda. Mas o que você quer dizer?

A conversa foi interrompida por Roberto, que desejava saber o que comeríamos. Mikhail gostaria de uma pizza napolitana, e eu sugeri que escolhesse por mim, não era o momento de deixar-me corroer pela dúvida do que devia pedir para comer. A única coisa realmente urgente era trazer, o mais breve possível, uma garrafa de vinho tinto. Roberto perguntou a marca, eu resmunguei qualquer coisa, ele entendeu que devia ficar afastado, não voltar a me perguntar mais nada durante todo o almoço, e tomar as decisões necessárias, permitindo me concentrar na conversa com o jovem à minha frente.

O vinho chegou em trinta segundos. Enchi nossos copos.

– O que ela está fazendo?

– Você quer mesmo saber?

A pergunta sendo respondida com outra pergunta me deixou nervoso.

– Sim, quero.

– Tapetes. E dando aulas de francês.

Tapetes! Minha mulher (ex-mulher, por favor, acostume-se!), que tinha todo o dinheiro de que precisava na vida, que era formada em jornalismo, que falava quatro línguas, era agora obrigada a sobreviver fazendo tapetes e dando aulas para estrangeiros? Melhor me controlar: não podia feri-lo em seu orgulho masculino, embora achasse uma vergonha que não pudesse dar a Esther tudo que ela merecia.

– Por favor, entenda o que estou passando há mais de um ano. Não sou nenhuma ameaça para o relacionamento de vocês, preciso apenas de duas horas com ela. Ou uma hora, tanto faz.

Mikhail parecia saborear minhas palavras.

– Você se esqueceu de responder à minha pergunta – disse, com um sorriso. – Você acha que Esther, sendo quem ela é, deixaria o homem de sua vida sem ao menos lhe dizer adeus, e sem explicar a razão?

– Acho que não.

– Então, por que esta história de "ela me deixou"? Por que me diz que "não sou ameaça para o relacionamento de vocês"?

Fiquei confuso. E senti algo chamado "esperança" – embora eu não soubesse o que estava esperando, e de onde vinha.

– Você está me dizendo que...

– Exatamente. Estou lhe dizendo que acho que ela não o deixou, e tampouco me deixou. Apenas desapareceu: por algum tempo, ou pelo resto da vida, mas ambos precisamos respeitar isso.

Foi como se uma luz brilhasse naquela pizzaria que sempre me trazia boas recordações, boas histórias. Eu queria desesperadamente acreditar no que o rapaz estava dizendo, o Zahir agora pulsava em tudo à minha volta.

– Você sabe onde ela está?

– Sei. Mas devo respeitar seu silêncio, embora ela também me faça muita falta. Toda esta situação também é confusa para mim: ou Esther está satisfeita por ter encontrado o Amor que Devora, ou aguarda que um de nós vá ao seu encontro, ou encontrou um novo homem, ou desistiu do mundo. Seja como for, se decidir ir ao seu encontro, eu não posso impedi-lo. Mas penso que, no seu caso, precisa aprender no caminho que deve encontrar não apenas seu corpo, mas também sua alma.

Eu queria rir. Eu queria abraçá-lo. Ou eu queria matá-lo – as emoções mudavam com uma rapidez impressionante.

– Você e ela...

– Dormimos juntos? Não lhe interessa. Mas encontrei em Esther a parceira que estava procurando, a pessoa que me ajudou a começar a missão que me foi confiada, o anjo que abriu as portas, os caminhos, as veredas que nos permitirão, se a Senhora quiser, trazer de novo a energia do amor para a Terra. Dividimos a mesma missão.

"E apenas para deixá-lo mais tranqüilo: tenho uma namorada, a moça loura que estava no palco. Chama-se Lucrecia, é italiana."

– Você está falando a verdade?

– Em nome da Energia Divina, eu estou falando a verdade.

Ele puxou um pedaço de tecido escuro do bolso.

– Está vendo isso? Na verdade, a cor do tecido é verde: parece marrom porque se trata de sangue coagulado. Algum soldado, em algum país do mundo, pediu antes de morrer: ela devia retirar sua camisa, cortá-la em vários pedaços, e distribuir a quem pudesse entender a mensagem daquela morte. Você tem um pedaço?

– Esther jamais me comentou este assunto.

– Quando ela encontra alguém que deve receber a mensagem, entrega também um pouco do sangue do soldado.

– Qual é essa mensagem?

– Se ela não lhe entregou, não creio que possa dizer nada a respeito, embora não tenha me pedido segredo.

– Você conhece alguém mais com um pedaço deste tecido?

– Todas as pessoas que estavam no palco. Estamos juntos porque Esther nos uniu.

Eu precisava ir com cuidado, estabelecer uma relação. Fazer um depósito no Banco de Favores. Não assustá-lo, não demonstrar ansiedade. Perguntar sobre ele, sobre seu trabalho, sobre seu país – do qual falara com tanto orgulho. Saber se o que estava me dizendo era verdade, ou se tinha outras intenções. Ter absoluta certeza de que ele ainda mantinha contacto com Esther, ou se também havia perdido sua pista. Mesmo vindo de um lugar tão distante, onde os valores talvez fossem outros, eu sabia que o Banco de Favores funcionava em qualquer parte, era uma instituição que não conhecia fronteiras.

Por um lado, eu queria acreditar em tudo que dizia. Por outro lado, meu coração já tinha sofrido e sangrado muito, pelas mil e uma noites em que ficava acordado, esperando o barulho da chave girando na fechadura, Esther entrando, deitando-se ao meu lado, sem dizer nada. Prometera a mim mesmo que, se isso acontecesse um dia, jamais faria qualquer pergunta, apenas a beijaria, diria "durma bem, meu amor", e acordaríamos juntos no dia seguinte, de mãos dadas, como se aquele pesadelo jamais tivesse acontecido.

Roberto chegou com as pizzas – ele parecia ter um sexto sentido, aparecera na hora em que precisava ganhar tempo para pensar.

Voltei a encarar Mikhail. Calma, controle seu coração, ou terá um enfarte. Bebi um copo inteiro de vinho, e notei que ele fazia a mesma coisa.

Por que estava nervoso?

– Acredito no que me diz. Temos tempo para conversar.

– Você vai me pedir para que o leve até onde ela está.

Ele havia estragado meu jogo; precisava recomeçar.

– Sim, eu vou lhe pedir. Eu vou tentar convencê-lo. Eu vou fazer todo o possível para conseguir isso. Mas não estou com pressa, ainda temos uma pizza inteira pela frente. Quero ouvir mais sobre você.

Reparei que suas mãos estavam tremendo, e ele fazia algum esforço para controlá-las.

– Sou uma pessoa com uma missão. Até o momento, ainda não consegui cumpri-la. Mas acho que ainda tenho muitos dias pela frente.

– E talvez eu possa ajudá-lo.

– Você pode me ajudar. Qualquer pessoa pode me ajudar, basta ajudar a Energia do Amor a espalhar-se pelo mundo.

– Posso fazer mais que isso.

Não queria ir mais longe, para não parecer que estava tentando comprar sua fidelidade. Cuidado – todo cuidado é pouco. Ele pode estar falando a verdade, mas também pode estar mentindo, tentando aproveitar-se do meu sofrimento.

– Conheço apenas uma energia de amor – continuei. – Aquela que tenho pela mulher que partiu... melhor dizendo, afastou-se, e está me esperando. Se puder tornar a vê-la, serei um homem feliz. E o mundo será melhor, porque uma alma está contente.

Ele olhou para o teto, olhou para a mesa, e eu deixei que o silêncio se prolongasse o máximo possível.

– Ouço uma voz – disse afinal, sem coragem de me encarar.

A grande vantagem de abordar temas que envolvem a espiritualidade em livros é saber que sempre entrarei em contacto com pessoas que possuem algum tipo de dom. Alguns destes dons são reais, outros são invenção, algumas destas pessoas tentam se aproveitar, outras estão me testando. Eu já vira tanta coisa surpreendente que hoje não tinha a menor dúvida que milagres acontecem, que tudo é possível, o homem está recomeçando a aprender aquilo que já esqueceu – seus poderes interiores.

A diferença é que esse não era o momento ideal para falar do assunto. Meu único interesse era o Zahir. Eu precisava que o Zahir voltasse a chamar-se Esther.

– Mikhail...

– Meu nome verdadeiro não é Mikhail. Meu nome é Oleg.

– Oleg...

– Mikhail é meu nome – eu o escolhi, quando decidi renascer para a vida. O arcanjo guerreiro, com sua espada de fogo, abrindo caminho para que – como é que você chama mesmo? – os "guerreiros da luz" possam encontrar-se. Esta é minha missão.

– Esta é também minha missão.

– Você não prefere falar de Esther?

Como? Ele desviara de novo o assunto para aquilo que me interessava?

– Não estou me sentindo bem. – Seu olhar começava a perder-se, vagava pelo restaurante, como se eu não estivesse ali.

– Não quero tocar neste assunto. A voz...

Alguma coisa estranha, muito estranha, estava acontecendo. Até onde ele seria capaz de ir para me impressionar? Terminaria pedindo, como muita gente antes pediu, que eu escrevesse um livro sobre sua vida e seus poderes?

Sempre que tenho um objetivo claro na minha frente, estou disposto a tudo para atingi-lo – afinal, era isso que eu dizia em meus livros, e não podia trair minhas palavras. Tinha um objetivo agora: olhar mais uma vez nos olhos do Zahir. Mikhail me dera uma série de informações novas: não era seu amante, ela não me havia deixado, tudo era uma questão de tempo até trazê-la de volta. Havia também a possibilidade do encontro na pizzaria ser uma farsa; um rapaz que não tem como ganhar a vida, se aproveita da dor alheia para conseguir o que pretende.

Bebi outro copo de vinho de uma vez só – Mikhail fez a mesma coisa.

Prudência, dizia meu instinto.

– Sim, quero falar de Esther. Mas quero também saber mais de você.

– Não é verdade. Você está querendo me seduzir, me convencer a fazer coisas que eu, a princípio, já estava mesmo disposto a fazer. Mesmo assim, a sua dor não o deixa enxergar claramente: acha que eu posso estar mentindo, querendo me aproveitar da situação.

Embora Mikhail soubesse exatamente o que eu estava pensando, falava mais alto do que manda a boa educação. As pessoas começaram a virar-se para ver o que estava passando.

– Você está querendo me impressionar, sem saber que seus livros marcaram minha vida, que eu aprendi muito com o que estava escrito ali. Sua dor o deixou cego, mesquinho, com uma obsessão: o Zahir. Não é o seu amor por ela que me fez aceitar o convite para este almoço: eu não estou convencido disso, acho que pode ser apenas seu orgulho ferido. O que me fez estar aqui...

A voz aumentava de tom; ele começou a olhar em várias direções, como se estivesse perdendo o controle.

– As luzes...

– O que está acontecendo?

– O que me fez estar aqui é o amor dela por você!

– Você está bem?

Roberto notou que alguma coisa estava errada. Veio até a mesa, sorrindo, segurou no ombro do rapaz, como quem não quisesse nada.

– Bem, pelo visto minha pizza está péssima. Não precisam pagar, podem ir embora.

Era a saída que estava faltando. Podíamos levantar, sair e evitar o desolador espetáculo de alguém que finge estar recebendo um espírito em uma pizzaria, apenas para me causar algum tipo de impressão ou constrangimento – embora eu achasse que a coisa era mais séria que uma simples representação teatral.

– Você está sentindo um vento?

Neste momento, tive certeza que não estava representando: ao contrário, fazia um grande esforço para controlar-se, e estava entrando em um pânico maior que o meu.

– As luzes, as luzes estão aparecendo! Por favor, me leve embora!

Seu corpo começou a ser sacudido por tremores. Agora já não dava para esconder mais nada, as pessoas em outras mesas tinham se levantado.

– No Casaquis...

Não conseguiu terminar a frase. Empurrou a mesa – pizzas, copos, talheres voaram, atingindo quem comia ao nosso lado. Sua expressão mudou por completo, seu corpo tremia e seus olhos reviravam nas órbitas. A cabeça foi jogada violentamente para trás, e escutei o ruído de ossos. Um senhor se levantou em uma das mesas. Roberto agarrou-o antes que caísse, enquanto o senhor pegava uma colher no chão e enfiava em sua boca.

A cena deve ter demorado alguns segundos apenas, mas para mim pareceu uma eternidade. Imaginava de novo as revistas sensacionalistas descrevendo como o famoso escritor, possível candidato a um importante prêmio literário, apesar de toda a crítica em contrário, tinha provocado uma sessão de espiritismo em uma pizzaria, apenas para chamar a atenção sobre seu novo livro. Minha paranóia continuou descontroladamente: descobririam em seguida que aquele médium era o mesmo homem que desaparecera com sua mulher – tudo recomeçaria, e desta vez eu não teria mais coragem ou energia para enfrentar de novo a mesma prova.

Claro, naquelas mesas estavam alguns conhecidos meus, mas qual destes era realmente meu amigo? Quem seria capaz de manter em silêncio o que via?

O corpo parou de tremer, relaxou, Roberto mantinha-o sentado na cadeira. O senhor tomou seu pulso, abriu suas pálpebras e olhou para mim.

– Não deve ser a primeira vez. Há quanto tempo você o conhece?

– Eles vêm sempre aqui – respondeu Roberto, notando que eu estava completamente sem ação. – Mas é a primeira vez que acontece em público, embora eu já tenha tido casos como este em meu restaurante.

– Eu notei – respondeu o senhor. – Você não entrou em pânico.

Era um comentário dirigido a mim, que devia estar pálido. O senhor voltou à mesa, Roberto tentou relaxar-me:

– Ele é o médico de uma atriz muito famosa – disse. – E acho que você está precisando de mais cuidados que seu convidado.

Mikhail – ou Oleg, ou seja quem fosse aquela criatura na minha frente – despertava. Olhou em volta, e ao invés de manifestar vergonha, sorriu, um pouco encabulado.

– Desculpe – disse. – Tentei controlar.

Eu procurava manter a postura. Roberto voltava a socorrer-me:

– Não se preocupe. Nosso escritor aqui tem dinheiro suficiente para pagar os pratos quebrados.

Em seguida, virou-se para mim:

– Epilepsia. Apenas um ataque epilético, nada mais.

Saímos do restaurante, Mikhail entrou imediatamente em um táxi.

– Mas não conversamos! Aonde você vai?

– Não tenho condições agora. E você sabe onde me encontrar.

*H*á dois tipos de mundo: aquele com que sonhamos, e aquele que é real.

No mundo que eu sonhava, Mikhail dissera a verdade, tudo não passava de um momento difícil em minha vida, um mal-entendido que acontece em qualquer relação amorosa. Esther me aguardava pacientemente, esperando que eu descobrisse o que havia dado errado em nosso relacionamento, fosse até ela, pedisse desculpas, e recomeçássemos nossa vida juntos.

No mundo que sonhava, Mikhail e eu conversávamos calmamente, saíamos da pizzaria, tomávamos um táxi, tocávamos a campainha da porta onde minha ex-mulher (ou mulher? Agora a dúvida se invertia) bordava seus tapetes de manhã, dava aula de francês de tarde e dormia sozinha de noite, também como eu esperando a campainha tocar, o marido entrar com um buquê de flores, e levá-la para tomar um chocolate quente em um hotel perto dos Champs-Élysées.

No mundo real, cada encontro com Mikhail seria sempre tenso – com medo do que acontecera na pizzaria. Tudo que dissera era fruto de sua imaginação, na verdade tampouco ele sabia o paradeiro de Esther. No mundo real, eu estava às 11:45 da manhã na Gare du Nord, esperando o trem que vinha de Estrasburgo, para receber um importante ator e produtor americano, entusiasmadíssimo com a idéia de produzir um filme baseado em um de meus livros.

Até aquele momento, sempre que falavam em adaptação para o cinema, minha resposta era sempre um "não estou interessado"; acredito que cada pessoa, ao ler um livro, cria seu próprio filme na cabeça, dá rosto aos personagens, constrói os cenários, escuta a voz, sente os cheiros. E, justamente por causa disso, quando vai assistir algo baseado em um romance que gostou, sempre sai com a sensação de ter sido enganada, sempre diz: "o livro é melhor que o filme."

Desta vez minha agente literária insistira muito. Afirmava que tal ator e produtor pertencia ao "nosso time", pretendia fazer algo totalmente diferente do que sempre nos haviam proposto. O encontro fora marcado com dois meses de antecedência, devíamos jantar esta noite, discutir os detalhes, ver se havia realmente uma cumplicidade entre nossa maneira de pensar.

Mas, em duas semanas, minha agenda havia mudado por completo: era quinta-feira, eu precisava ir até um restaurante armênio, tentar um novo contacto com um jovem epilético que garantia ouvir vozes, mas que era a única pessoa a saber o paradeiro do Zahir. Interpretei aquilo como um sinal para não vender os direitos do título, tentei cancelar o encontro com o ator; ele insistiu, disse que não tinha importância, podíamos trocar o jantar por um almoço no dia seguinte: "ninguém fica triste em passar uma noite em Paris sozinho" fora seu comentário, me deixando completamente sem argumentos.

No mundo que eu imaginava, Esther era ainda minha companheira, e seu amor me dava forças para seguir adiante, explorar todas as minhas fronteiras.

No mundo que existia, ela era a obsessão completa. Sugando toda minha energia, ocupando todo o espaço, obrigando-me a fazer um esforço gigantesco para continuar com minha vida, meu trabalho, meus encontros com produtores, minhas entrevistas.

Como é possível que, mesmo depois de dois anos, eu ainda não tenha conseguido esquecê-la? Já não agüentava mais pensar no assunto, analisar todas as possibilidades, tentar fugir, me conformar, escrever um livro, praticar ioga, fazer um trabalho beneficente, freqüentar os amigos, seduzir mulheres, sair para jantar, ir ao cinema (evitando adaptações literárias, claro, e sempre procurando filmes que fossem escritos especialmente para a tela), teatro, balé, jogos de futebol. Mesmo assim, o Zahir sempre vencia a batalha, sempre estava presente, sempre me fazia pensar "como eu gostaria que ela estivesse aqui comigo".

Olhava o relógio da estação de trem – faltavam ainda 15 minutos. No mundo que eu imaginava, Mikhail era um aliado. No mundo que existia, eu não tinha nenhuma prova concreta além do meu enorme desejo de acreditar no que dizia, e podia ser um inimigo disfarçado.

Voltei às perguntas de sempre: por que não me dissera nada? Teria sido a tal pergunta de Hans? Teria Esther decidido que devia salvar o mundo, como me sugerira durante nossa conversa sobre amor e guerra, e estava me "preparando" para acompanhá-la nesta missão?

Meus olhos estavam fixos nos trilhos do trem. Eu e Esther, caminhando paralelos um ao outro, sem jamais nos tocarmos de novo. Dois destinos que...

Trilhos de trem.

Qual a distância entre um e outro?

Para esquecer-me do Zahir, procurei me informar com um dos empregados que estava na plataforma.

– Distam 143,5 centímetros ou 4 pés e 8,5 polegadas – respondeu.

Era um homem que parecia em paz com sua vida, orgulho-so de sua profissão, e em nada se enquadrava na idéia fixa de Esther – de que todos nós temos uma grande tristeza escondida na alma.

Mas sua resposta não fazia o menor sentido: 143,5 centíme-tros, ou 4 pés e 8,5 polegadas?

Absurdo. O lógico seria 150 centímetros. Ou 5 pés. Algum número redondo, claro, fácil de ser lembrado pelos construtores de vagões e pelos empregados de ferrovias.

– E por quê? – insisti com o empregado.

– Porque as rodas dos vagões têm esta medida.

– Mas as rodas dos vagões são assim, por causa da distância entre os trilhos, não acha?

– O senhor crê que eu tenho obrigação de saber tudo sobre trens, só porque trabalho em uma estação? As coisas são assim porque são assim.

Ele já não era mais a pessoa feliz, em paz com seu trabalho; sabia responder a uma pergunta, mas não conseguia ir mais adiante. Pedi desculpas, fiquei o resto do tempo olhando os tri-lhos, sentindo que intuitivamente eles queriam me dizer alguma coisa.

Por mais estranho que parecesse, os trilhos pareciam contar algo sobre meu casamento – e sobre todos os casamentos.

O ator chegou – mais simpático do que eu esperava, apesar de toda a sua fama. Deixei-o em meu hotel favorito e voltei para casa. Para minha surpresa, Marie me esperava, dizendo que, por causa das condições do tempo, suas filmagens tinham sido adia-das por uma semana.

*P*enso que hoje, por ser quinta-feira, você irá ao restaurante.

– Você também quer ir?

– Sim. Vou com você. Prefere ir sozinho?

– Prefiro.

– Mesmo assim, decidi que vou; ainda está para nascer o homem que controlará os meus passos.

– Você sabe por que os trilhos de trem estão distantes 143,5 centímetros?

– Posso tentar descobrir na Internet. É importante?

– Muito.

– Deixemos os trilhos de trem para lá, por enquanto. Estive conversando com amigos que são seus fãs. Acham que uma pessoa que escreve livros como *Tempo de rasgar, tempo de costurar*, ou a história do pastor de ovelhas, ou a peregrinação ao caminho de Santiago, deve ser um sábio, com respostas para tudo.

– O que não é absolutamente verdade, como você sabe.

– O que é verdade, então? Como é que você passa aos seus leitores coisas que estão além do seu conhecimento?

– Não estão além do meu conhecimento. Tudo que está escrito ali faz parte de minha alma, lições que aprendi ao longo de minha vida e que tento aplicá-las para mim mesmo. Sou um leitor de meus próprios livros. Eles me mostram algo que já sabia, mas que não tinha consciência.

– E o leitor?

– Penso que se passa a mesma coisa com ele. O livro – e podemos estar falando de qualquer coisa, como um filme, uma música, um jardim, a visão de uma montanha – revela algo. Revelar significa: tirar e recolocar um véu. Tirar o véu de alguma coisa que já existe é diferente de tentar ensinar os segredos de se viver melhor.

"No momento, como você também sabe, estou sofrendo por amor. Isso pode ser apenas uma descida aos infernos – mas pode ser uma revelação. Foi só enquanto escrevia *Tempo de rasgar, tempo de costurar*, que percebi minha própria capacidade de amar. Aprendi enquanto digitava as palavras e frases."

– Mas e o lado espiritual? E aquilo que parece estar presente em cada página de todos os seus títulos?

– Começo a gostar da idéia de que vá comigo hoje à noite ao restaurante armênio, porque irá descobrir – melhor dizendo, ficar consciente de três coisas importantes. A primeira: no momento em que as pessoas resolvem encarar um problema, elas se dão conta de que são muito mais capazes do que pensam. A segunda: toda a energia, toda a sabedoria vêm da mesma fonte desconhecida, que normalmente chamamos de Deus. O que tento em minha vida, desde que comecei a seguir aquilo que considero meu caminho, é honrar esta energia, conectar-me com ela todos os dias, deixar-me guiar pelos sinais, aprender enquanto faço – e não enquanto penso fazer algo.

"A terceira: ninguém está só em suas atribulações – sempre existe alguém mais pensando, alegrando-se, ou sofrendo da mesma maneira, e isso nos dá força para encarar melhor o desafio que temos diante de nós."

– Isso inclui sofrer por amor?

– Isso inclui tudo. Se o sofrimento está ali, então é melhor aceitá-lo, porque não irá embora só porque você está fingindo que ele não existe. Se a alegria está ali, também é melhor aceitá-la, mesmo com medo de que ela acabe um dia. Tem gente que consegue relacionar-se com a vida apenas através do sacrifício e da renúncia. Tem gente que só consegue sentir-se parte da humanidade quando está pensando que é "feliz". Por que você está me perguntando essas coisas?

– Porque estou apaixonada e tenho medo de sofrer.

– Não tenha medo; a única maneira de evitar este sofrimento seria recusar-se a amar.

– Sei que Esther está presente. Além do ataque epilético do rapaz, você nada mais me contou sobre o encontro na pizzaria. Isso é um mau sinal para mim, embora possa ser um bom sinal para você.

– Pode ser um mau sinal para mim também.

– Sabe o que eu gostaria de perguntar-lhe? Gostaria de saber se você me ama como eu o amo. Mas não tenho coragem. Por que entro em tantas relações frustradas com tantos homens?

"Porque acho que sempre tenho que estar me relacionando com alguém – e assim sou forçada a ser fantástica, inteligente, sensível, excepcional. O esforço de seduzir me obriga a dar o melhor de mim mesma, e isso me ajuda. Além do mais, é muito difícil conviver comigo mesma. Mas não sei se esta é a melhor escolha."

– Você quer saber se, mesmo sabendo que determinada mulher que me deixou sem quaisquer explicações, eu ainda sou capaz de amá-la?

– Li seu livro. Sei que é capaz.

– Você quer me perguntar se, apesar de meu amor por Esther, eu também sou capaz de amar você?

– Não ousaria fazer esta pergunta, porque a resposta pode estragar minha vida.

– Você quer saber se o coração de um homem, ou de uma mulher, pode comportar amor por mais de uma pessoa?

– Já que não é uma pergunta tão direta como a anterior, gostaria que me respondesse.

– Acho que pode. Exceto quando uma delas se transforma em...

– ... um Zahir. Mas vou lutar por você, acho que vale a pena. Um homem que é capaz de amar uma mulher como você amou, ou ama, Esther, merece meu respeito e esforço.

"E no momento, para demonstrar minha vontade de tê-lo ao meu lado, para mostrar o quanto você é importante em minha vida, vou fazer o que me pediu, por mais absurdo que seja: saber por que os trilhos de trem estão separados por 143,5 centímetros."

O dono do restaurante armênio fizera exatamente o que havia comentado na semana anterior: agora, ao invés do salão dos fundos, o restaurante inteiro estava ocupado. Marie olhava as pessoas com curiosidade, e vez por outra comentava a imensa diferença entre elas.

– Como é que trazem crianças para isso? É um absurdo!

– Talvez não tenham com quem deixá-las.

Às nove horas em ponto, as seis figuras – dois músicos com roupas orientais e os quatro jovens com suas blusas brancas e saias rodadas – entraram no palco. O serviço de mesas foi imediatamente suspenso, e as pessoas ficaram em silêncio.

– No mito mongol da criação do mundo, corça e cão selvagem se encontram – disse Mikhail, de novo com uma voz que não era a sua. – Dois seres de natureza diferente: na natureza, o cão selvagem mata a corça para comer. No mito mongol, ambos entendem que um precisa das qualidades do outro para sobreviver em um ambiente hostil, e devem unir-se.

"Para isso, antes eles precisam aprender a amar. E para amar, precisam deixar de ser quem são, ou jamais poderão conviver. Com o passar do tempo, o cão selvagem começa a aceitar que seu instinto, sempre concentrado na luta pela sobrevivência, agora serve a um propósito maior: encontrar alguém com quem reconstruir o mundo."

Deu uma pausa.

– Quando dançamos, giramos em torno da mesma energia, que sobe até a Senhora e volta com toda a sua força para nós, da mesma maneira que a água evapora dos rios, se transforma em nuvem e retorna sob a forma de chuva. Hoje minha história é sobre o círculo do amor: certa manhã, um camponês bateu com força na porta de um convento. Quando o irmão porteiro abriu, ele lhe estendeu um magnífico cacho de uvas.

"– Caro irmão porteiro, estas são as mais belas produzidas pelo meu vinhedo. E venho aqui para dá-las de presente.

"– Obrigado! Vou levá-las imediatamente ao Abade, que ficará alegre com esta oferta.

"– Não! Eu as trouxe para você.

"– Para mim? Eu não mereço tão belo presente da natureza.

"– Sempre que bati na porta, você abriu. Quando precisei de ajuda, porque a colheita foi destruída pela seca, você me dava um pedaço de pão e um copo de vinho todos os dias. Eu quero que este cacho de uvas traga-lhe um pouco do amor do sol, da beleza da chuva e do milagre de Deus.

"O irmão porteiro colocou o cacho diante de si e passou a manhã inteira admirando-o: era realmente lindo. Por causa disso, resolveu entregar o presente ao Abade, que sempre o havia estimulado com palavras de sabedoria.

"O Abade ficou muito contente com as uvas, mas lembrou-se que havia no convento um irmão que estava doente, e pensou: 'Vou dar-lhe o cacho. Quem sabe, pode trazer alguma alegria à sua vida.'

"Mas as uvas não ficaram muito tempo no quarto do irmão doente, porque este refletiu: 'o irmão cozinheiro tem cuidado de mim, alimentando-me com o que há de melhor. Tenho certeza de que isso lhe trará muita felicidade.' Quando o irmão cozinheiro apareceu na hora do almoço, trazendo sua refeição, ele entregou-lhe as uvas.

"– São para você. Como sempre está em contacto com os produtos que a natureza nos oferece, saberá o que fazer com esta obra de Deus.

"O irmão cozinheiro ficou deslumbrado com a beleza do cacho e fez com que o seu ajudante reparasse na perfeição das uvas. Tão perfeitas que ninguém para apreciá-las melhor que o irmão sacristão, responsável pela guarda do Santíssimo Sacramento, e que muitos no mosteiro viam como um homem santo.

"O irmão sacristão, por sua vez, deu as uvas de presente ao noviço mais jovem, de modo que este pudesse entender que a obra de Deus está nos menores detalhes da Criação. Quando o noviço o recebeu, o seu coração encheu-se da Glória do Senhor, porque nunca tinha visto um cacho tão lindo. Na mesma hora lembrou-se da primeira vez que chegara ao mosteiro, e da pessoa que lhe tinha aberto a porta; fora este gesto que lhe permitira estar hoje naquela comunidade de pessoas que sabiam valorizar os milagres.

"Assim, pouco antes do cair da noite, ele levou o cacho de uvas para o irmão porteiro.

"– Coma e aproveite. Porque você passa a maior parte do tempo aqui sozinho, e estas uvas lhe farão muito bem.

"O irmão porteiro entendeu que aquele presente tinha lhe sido realmente destinado, saboreou cada uma das uvas daquele cacho e dormiu feliz. Desta maneira, o círculo foi fechado; um círculo de felicidade e alegria, que sempre se estende em torno de quem está em contacto com a energia do amor."

A mulher chamada Alma fez soar o prato de metal com seus apliques.

– Como fazemos todas as quintas-feiras, escutamos uma história de amor, e contamos histórias de desamor. Vamos ver o que está na superfície, e então, pouco a pouco, entenderemos o que está embaixo: nossos costumes, nossos valores. E quando conseguirmos furar esta camada, seremos capazes de encontrar a nós mesmos. Quem começa?

Várias mãos se levantaram, inclusive a minha – para surpresa de Marie. O barulho recomeçou, as pessoas se agitaram nas cadeiras. Mikhail apontou para uma mulher linda, alta, de olhos azuis.

– Na semana passada, fui visitar um amigo que vive sozinho nas montanhas, perto da fronteira com a França; alguém que adora os prazeres da vida, e mais de uma vez afirmou que toda a sabedoria que dizem possuir vem justamente do fato de aproveitar cada momento.

"Desde o início, meu marido não gostou da idéia: sabia quem ele era, que seu passatempo preferido é caçar pássaros e seduzir mulheres. Mas eu precisava conversar com este amigo, estava vivendo um momento de crise que só ele podia me ajudar. Meu marido sugeriu um psicólogo, uma viagem, discutimos, brigamos, mas, apesar de todas as pressões em casa, eu viajei. Meu amigo foi me buscar no aeroporto, conversamos de tarde, jantamos, bebemos, conversamos um pouco mais, e fui dormir. Acordei no dia seguinte, andamos pela região, e ele tornou a me deixar no aeroporto.

"Assim que cheguei em casa, começaram as perguntas. Ele estava sozinho? Sim. Nenhuma namorada com ele? Não. Vocês beberam? Bebemos. Por que você não está querendo falar do assunto? Mas eu estou falando do assunto! Vocês estavam sozinhos em uma casa que dá para as montanhas, um cenário romântico, não é verdade? Sim. E mesmo assim não aconteceu nada além de conversa? Não aconteceu nada. Você acha que eu acredito nisso? Por que não acreditaria? Porque vai contra a natureza humana – um homem e uma mulher, se estão juntos, se bebem juntos, se compartilham coisas íntimas, terminam na cama! "Concordo com o meu marido. Vai contra o que nos ensinaram. Ele jamais irá acreditar na história que contei, mas é a pura verdade. Desde então, nossa vida tem virado um pequeno inferno. Vai passar, mas é um sofrimento inútil, um sofrimento por causa do que nos contaram: um homem e uma mulher que se admiram, quando as circunstâncias permitem, acabam na cama."

Aplausos. Cigarros que se acendem. Barulho de garrafas e de copos.

– O que é isso? – perguntou Marie em voz baixa. – Uma terapia coletiva de casais?

– É parte do "encontro". Ninguém diz se está certo, ou se está errado, apenas contam histórias.

– E por que fazem isso em público, desta maneira desrespeitosa, com gente bebendo e fumando?

– Talvez porque seja mais leve. E se é mais leve, é mais fácil. E se é mais fácil, por que não fazer desta maneira?

– Mais fácil? No meio de desconhecidos que podem amanhã contar esta história para o marido dela?

Outra pessoa tinha começado a falar, e não pude dizer para Marie que isso não tinha a menor importância: todos estavam ali para falar de desamor disfarçado de amor.

– Sou o marido desta mulher que acaba de contar a história – disse um senhor que devia ser pelo menos uns 20 anos mais velho que a jovem loura e bonita. – Tudo que ela disse está certo. Mas existe uma coisa que ela não sabe, e que eu não tive coragem de comentar. Farei isso agora.

"Quando ela foi para as montanhas, eu não consegui dormir de noite, e comecei a imaginar – em detalhes – o que estava se passando. Ela chega, a lareira está acesa, tira o casaco, tira o suéter, não está usando sutiã debaixo da camiseta fina. Ele pode claramente ver o contorno dos seios. "Ela finge que não percebe seu olhar. Diz que vai até a cozinha pegar uma outra garrafa de champagne. Está usando jeans muito justos, anda devagar, e mesmo sem virar-se, sabe que ele a olha dos pés à cabeça. Volta, discutem coisas verdadeiramente íntimas, e isso lhes dá uma sensação de cumplicidade.

"Esgotam o assunto que a levou ali. O telefone celular toca – sou eu, quero saber se tudo está bem. Ela se aproxima dele, coloca o fone em seu ouvido, os dois escutam minha conversa, uma conversa delicada, porque sei que é tarde para fazer qualquer tipo de pressão, o melhor é fingir que não estou preocupado, sugerir que aproveite seu tempo nas montanhas, porque no dia seguinte deve voltar a Paris, cuidar dos filhos, fazer compras para a casa.

"Desligo o telefone, sabendo que ele escutou a conversa. Agora os dois – que estavam em sofás separados – estão sentados muito próximos.

"Neste momento, parei de pensar no que estava acontecendo nas montanhas. Levantei-me, fui até o quarto dos meus filhos, depois fui até a janela, olhei Paris, e sabe o que notei? Que aquele pensamento tinha me deixado excitado. Muito, muitíssimo excitado. Saber que minha mulher podia estar, naquele momento, beijando um homem, fazendo amor com ele.

"Eu me senti terrivelmente mal. Como é que podia ficar excitado com isso? No dia seguinte, conversei com dois amigos; evidente que não me usei como exemplo, mas perguntei se, em algum momento em suas vidas, eles haviam achado erótico quando, em uma festa, surpreendem o olhar de outro homem no decote de sua mulher. Ambos fugiram do assunto – porque é um tabu. Mas ambos disseram que é ótimo saber que sua mulher é desejada por outro homem: não foram além disso. Seria isso uma fantasia secreta, escondida no coração de todos os homens? Não sei. Nossa semana foi um inferno porque eu não entendo o que senti. E como não entendo, eu a culpo de provocar em mim algo que desequilibra meu mundo." Desta vez muitos cigarros foram acesos, mas não houve aplausos. Como se o tema continuasse sendo um tabu, mesmo naquele lugar.

Enquanto mantinha a mão levantada, perguntei a mim mesmo se estava de acordo com o senhor que acabara de falar. Sim, estava de acordo: já tinha imaginado algo semelhante com Esther e os soldados no campo de batalha, mas não ousava dizer isso nem para mim mesmo.

Mikhail olhou em minha direção e fez um sinal.

Não sei como consegui levantar-me, olhar aquela audiência visivelmente chocada com a história do homem que se excita ao pensar em sua mulher sendo possuída por outro. Ninguém parecia prestar atenção, e isso me ajudou a começar.

– Peço desculpas por não ser tão direto como as duas pessoas que me precederam, mas tenho algo a dizer. Hoje estive em uma estação de trem, e descobri que a distância que separa os trilhos é de 143,5 centímetros, ou 4 pés e 8,5 polegadas. Por que esta medida tão absurda? Pedi a minha namorada que descobrisse a razão, e eis o resultado:

"Porque no início, quando construíram os primeiros vagões de trem, eles usaram as mesmas ferramentas utilizadas na construção de carruagens.

"Por que as carruagens tinham esta distância entre as rodas? Porque as antigas estradas foram feitas para esta medida, e só assim as carruagens podiam trafegar.

"Quem decidiu que as estradas deviam ser feitas nesta medida? E aí de repente voltamos a um passado muito distante: os romanos, primeiros grandes construtores de estradas, decidiram isso. Qual a razão? Os carros de guerra eram conduzidos por dois cavalos – e quando colocamos lado a lado os animais da raça que usavam naquela época, ocupavam 143,5 centímetros.

"Desta maneira, a distância dos trilhos que vi hoje, usados por nosso moderníssimo trem de alta velocidade, foi determinada pelos romanos. Quando os imigrantes foram para os Estados Unidos construir ferrovias, não perguntaram se seria melhor modificar a largura, e continuaram com o mesmo padrão. Isso chegou a afetar até mesmo a construção dos ônibus espaciais: engenheiros americanos achavam que os tanques de combustível deviam ser mais largos, mas eram fabricados em Utah, deviam ser transportados por trem até o Centro Espacial na Flórida, e os túneis não comportavam algo diferente. Conclusão: tiveram que se resignar ao que os romanos haviam decidido como medida ideal.

"E o que tem isso a ver com o casamento?"

Dei uma pausa. Algumas pessoas não estavam nem um pouco interessadas em trilhos de trem, e começavam a conversar entre elas. Outras me ouviam com total atenção – entre as quais Marie e Mikhail.

– Isso tem tudo a ver com o casamento e com as duas histórias que acabamos de ouvir. Em um dado momento da história, alguém apareceu e disse: quando nos casamos, as duas pessoas devem permanecer congeladas para o resto da vida. Vocês caminharão um ao lado do outro como dois trilhos, obedecendo a este exato padrão. Mesmo que um precise estar um pouco longe ou um pouco mais perto algumas vezes, isso é contra as regras. As regras dizem: sejam sensatos, pensem no futuro, nos filhos. Vocês não podem mais mudar, devem ser como os trilhos: têm a mesma distância entre eles na estação de partida, no meio do caminho, ou na estação de destino. Não deixem o amor mudar, nem crescer no começo, nem diminuir no meio – é arriscadíssimo. Portanto, passado o entusiasmo dos primeiros anos, mantenham a mesma distância, a mesma solidez, a mesma funcionalidade. Vocês servem para que o trem da sobrevivência da espécie passe em direção ao futuro: os filhos só serão felizes se vocês permanecerem como sempre foram – a 143,5 centímetros de distância um do outro. Se não estão contentes com uma coisa que nunca muda, pensem neles, nas crianças que trouxeram ao mundo.

"Pensem nos vizinhos. Mostrem que são felizes, comem churrasco no domingo, assistem à televisão, ajudam a comunidade. Pensem na sociedade: vistam-se de modo a que todos saibam que entre vocês não existem conflitos. Não olhem para os lados, alguém pode estar olhando para vocês, e isso é uma tentação, pode significar divórcio, crises, depressão.

"Sorriam nas fotos. Coloquem as fotos na sala, para que todos vejam. Cortem a grama, façam esporte – sobretudo façam esporte, para que possam permanecer congelados no tempo. Quando o esporte não adiantar mais, façam operação plástica. Mas jamais se esqueçam: em algum momento, estas regras foram estabelecidas, e vocês precisam respeitá-las. Quem estabeleceu estas regras? Isso não tem importância, jamais façam este tipo de pergunta, porque elas continuarão valendo para sempre, mesmo que vocês não estejam de acordo."

Sentei-me. Alguns aplausos entusiásticos, alguma indiferença, e eu sem saber se tinha ido longe demais. Marie me olhava com uma mistura de admiração e surpresa.

A mulher no palco tocou o prato.

Disse para Marie que ficasse ali, enquanto eu ia lá fora fumar um cigarro.

– Agora dançarão em nome do amor, da "senhora".

– Você pode fumar aqui.

– Preciso estar sozinho.

* * *

Embora fosse o início da primavera, ainda fazia muito frio, mas eu precisava de ar puro. Por que contara toda aquela história? Meu casamento com Esther jamais fora da maneira como havia descrito: dois trilhos, sempre um ao lado do outro, sempre corretos, retos, alinhados. Tivéramos nossos altos e baixos, muitas vezes um dos dois ameaçara partir para sempre, e, mesmo assim, continuamos juntos.

Até dois anos atrás.

Ou até o momento em que ela começou a querer saber por que estava infeliz.

Ninguém deve se perguntar isso: por que estou infeliz? Esta pergunta traz em si o vírus da destruição de tudo. Se perguntamos isso, vamos querer descobrir o que nos faz felizes. Se o que nos faz felizes é diferente daquilo que estamos vivendo, ou mudamos de uma vez, ou ficamos mais infelizes ainda.

E eu agora me encontrava nesta mesma situação: uma namorada com personalidade, o trabalho que começava a andar, e uma grande possibilidade de que as coisas terminassem se equilibrando com o tempo. Melhor conformar-se. Aceitar o que a vida estava me oferecendo, não seguir o exemplo de Esther, não prestar atenção aos olhos das pessoas, lembrar-me das palavras de Marie, criar uma nova existência ao seu lado.

Não, não posso pensar assim. Se eu reajo da maneira com que as pessoas estão esperando que faça, eu me torno escrava delas. É preciso um controle gigantesco para evitar que isso aconteça, porque a tendência é sempre estar pronto para agradar alguém – principalmente a si mesmo. Mas se eu fizer isso, além de ter perdido Esther, terei também perdido Marie, meu trabalho, meu futuro, meu respeito por mim e por tudo que disse e escrevi.

* * *

Eu entrei ao ver que as pessoas começaram a sair. Mikhail apareceu já com a roupa trocada.

– O que aconteceu no restaurante...

– Não se preocupe – eu respondi. – Vamos passear pelas margens do Sena.

Marie entendeu o recado, disse que precisava dormir cedo aquela noite. Pedi que nos desse carona no táxi até a ponte que fica em frente à Torre Eiffel – assim eu poderia voltar a pé para casa. Pensei em perguntar onde Mikhail vivia, mas achei que a pergunta podia ser interpretada como uma tentativa de verificar, com meus próprios olhos, se Esther não estava com ele.

No caminho, ela perguntava insistentemente a Mikhail o que era o "encontro", e ele respondia sempre a mesma coisa: uma maneira de recuperar o amor. Aproveitou para dizer que tinha gostado da minha história sobre os trilhos de trem.

– Foi assim que o amor se perdeu – disse. – Quando começamos a estabelecer exatamente as regras para que ele pudesse se manifestar.

– E quando foi isso? – perguntou Marie.

– Não sei. Mas sei que é possível fazer com que esta Energia retorne. Sei, porque quando danço, ou quando escuto a voz, o Amor conversa comigo.

Marie não sabia o que era "escutar a voz", mas já tínhamos chegado à ponte. Descemos e começamos a andar pela fria noite de Paris.

– Sei que ficou assustado com o que viu. O maior perigo é enrolar a língua e sufocar; o dono do restaurante sabia como agir, e isso quer dizer que já deve ter acontecido antes em sua pizzaria. Não é tão raro assim. Entretanto, seu diagnóstico está errado: não sou epilético. É o contato com a Energia.

Claro que ele era epilético, mas não adiantava dizer o contrário. Eu procurava agir normalmente. Precisava manter a situação sob controle – estava surpreso com a facilidade com que ele aceitara me encontrar desta vez.

– Preciso de você. Preciso que escreva algo sobre a importância do amor – disse Mikhail.

– Todo mundo sabe da importância do amor. Quase todos os livros escritos são sobre isso.

– Então, vou reformular meu pedido: preciso que escreva algo sobre o novo Renascimento.

– O que é o novo Renascimento?

– É o momento parecido com o que surgiu na Itália nos séculos XV e XVI, quando gênios como Erasmo, Da Vinci, Michelangelo param de olhar para as limitações do presente, a opressão das convenções da época, e se voltam para o passado. Assim como ocorreu naquela época, estamos retornando à linguagem mágica, à alquimia, à idéia da Deusa Mãe, à liberdade de se fazer aquilo em que acreditamos, e não o que a igreja ou o governo exigem. Como em Florença de 1500, descobrimos de novo que o passado contém as respostas para o futuro.

"Veja essa história de trem que contou: em quantas outras coisas estamos obedecendo a padrões que não entendemos? Como as pessoas lêem o que você escreve, será que não pode tocar neste tema?"

– Jamais negociei um livro – respondi, lembrando-me de novo de que precisava manter o respeito por mim mesmo. – Se o assunto for interessante, se estiver em minha alma, se o barco chamado Palavra me levar até esta ilha, talvez eu escreva. Mas isso nada tem a ver com minha procura por Esther.

– Eu sei, e não estou impondo uma condição; apenas sugerindo o que julgo ser importante.

– Ela lhe comentou sobre o Banco de Favores?

– Sim. Mas não se trata de Banco de Favores. Trata-se de uma missão que não estou conseguindo cumprir sozinho.

– Sua missão é o que faz no restaurante armênio?

– Apenas uma pequena parte. Fazemos a mesma coisa nas sextas-feiras, com mendigos. Trabalhamos nas quartas-feiras com os novos nômades.

Novos nômades? Melhor não interromper agora; o Mikhail que conversava comigo não tinha a arrogância da pizzaria, o carisma do restaurante, a insegurança da tarde de autógrafos. Era uma pessoa normal, um companheiro com quem sempre terminamos a noite conversando sobre os problemas do mundo.

– Só posso escrever sobre aquilo que realmente me toca a alma – insisti.

– Gostaria de ir conosco conversar com os mendigos?

Lembrei-me do comentário de Esther, e da falsa tristeza nos olhos daqueles que deviam ser os mais miseráveis do mundo.

– Deixe-me pensar um pouco.

Nos aproximávamos do museu do Louvre, mas ele parou, debruçou-se sobre a murada do rio, e ficamos olhando os barcos que passavam, com os holofotes ferindo nossos olhos.

– Veja o que estão fazendo – disse, porque eu precisava puxar qualquer assunto, com medo que ele se entediasse e resolvesse ir para casa. – Olhando aquilo que a luz ilumina. Quando voltarem para casa, dirão que conhecem Paris. Amanhã devem ver a Mona Lisa, e dirão que visitaram o Louvre. Não conhecem Paris e nem foram ao Louvre – tudo que fizeram foi andar de barco e olhar um quadro, um único quadro. Qual a diferença entre ver um filme pornográfico e fazer amor? A mesma diferença entre olhar uma cidade, e tentar saber o que acontece nela, ir aos bares, entrar por ruas que não estão nos guias turísticos, perder-se para encontrar consigo mesmo.

– Admiro seu controle. Fala dos barcos no Sena, e espera o momento certo para fazer a pergunta que o trouxe até mim. Sinta-se livre agora para conversar abertamente sobre o que quiser saber.

Não havia nenhuma agressividade em sua voz, e eu resolvi ir adiante.

– Onde está Esther?

– Fisicamente muito longe, na Ásia Central. Espiritualmente, muito perto, acompanhando-me dia e noite com seu sorriso, e com a lembrança de suas palavras de entusiasmo. Foi ela quem me trouxe até aqui, um pobre jovem de 21 anos, sem futuro, que as pessoas de minha aldeia consideravam uma aberração, um doente ou um feiticeiro que tinha pacto com o demônio, e as pessoas da cidade consideravam um simples camponês em busca de emprego.

"Outro dia lhe conto melhor minha história, mas o fato é que eu sabia falar inglês, e comecei a trabalhar como seu intérprete. Estávamos na fronteira com um país onde ela precisava entrar: os americanos estavam construindo muitas bases militares lá, preparavam-se para a guerra com o Afeganistão, era impossível conseguir um visto. Eu a ajudei a atravessar as montanhas ilegalmente. Durante a semana que passamos juntos, ela me fez entender que eu não estava sozinho, que me compreendia.

"Perguntei o que estava fazendo tão longe de casa. Depois de algumas respostas evasivas, ela finalmente me contou o que deve ter lhe contado: procurava o lugar onde a felicidade se escondera. Eu lhe falei da minha missão: conseguir que a Energia do Amor volte a se espalhar pela terra. No fundo, os dois estavam em busca da mesma coisa.

"Esther foi à embaixada da França, e me conseguiu um visto – como intérprete da língua casaque, embora todo mundo em meu país fale apenas russo. Vim morar aqui. Nos víamos sempre que ela voltava de suas missões no exterior; viajamos mais duas vezes juntos para o Casaquistão; estava interessadíssima na cultura Tengri, e em um nômade que conhecera – e que acreditava ter resposta para tudo."

Eu queria saber o que era Tengri, mas a pergunta podia esperar. Mikhail continuou falando, e seus olhos denotavam a mesma saudade que eu tinha de Esther.

– Começamos a fazer um trabalho aqui em Paris – foi ela quem deu a idéia de reunir as pessoas uma vez por semana. Dizia: "Em toda relação humana, a coisa mais importante é a conversa; mas as pessoas já não fazem mais isso – sentar-se para falar e para escutar os outros. Vão ao teatro, cinema, vêem televisão, escutam rádio, lêem livros, mas quase não conversam. Se quisermos mudar o mundo, temos que voltar para a época em que os guerreiros se reuniam em torno da fogueira e contavam histórias."

Lembrei-me que Esther dizia que todas as coisas importantes em nossas vidas tinham surgido de longos diálogos em uma mesa de bar, ou caminhando pelas ruas e parques.

– É minha a idéia de que seja às quintas-feiras, porque assim manda a tradição em que fui criado. Mas é dela a idéia de sair de vez em quando pelas noites de Paris: dizia que apenas os mendigos não fingiam estar contentes – ao contrário, fingiam estar tristes.

"Deu-me seus livros para ler. Entendi que também você, talvez de maneira inconsciente, imaginava o mesmo mundo que nós dois. Entendi que não estava sozinho, embora apenas eu escutasse a voz. Pouco a pouco, à medida que as pessoas passavam a freqüentar meu encontro, comecei a acreditar que podia cumprir minha missão, ajudar que a Energia voltasse, embora para isso fosse preciso voltar ao passado, ao momento em que ela partiu – ou se escondeu."

– Por que Esther me deixou?

Será que eu não conseguia mudar de assunto? A pergunta deixou Mikhail um pouco irritado.

– Por amor. Hoje você usou o exemplo dos trilhos: pois bem, ela não é um trilho ao seu lado. Ela não segue as regras, e imagino que você tampouco as segue. Espero que saiba que também sinto sua falta.

– Então...

– Então, se você quiser encontrá-la, eu posso dizer onde ela está. Já senti o mesmo impulso, mas a voz diz que não é o momento, que ninguém deve perturbá-la em seu encontro com a Energia do amor. Eu respeito a voz, a voz nos protege: a mim, a você, a Esther.

– Quando será o momento?

– Talvez amanhã, em um ano ou nunca mais – e, neste caso, precisamos respeitar sua decisão. A voz é a Energia: por causa disso, ela só coloca as pessoas juntas quando ambas estão realmente preparadas para aquele momento. Mesmo assim, todos nós tentamos forçar uma situação – apenas para escutar a frase que nunca queríamos ouvir: "vá embora." Quem não respeita a voz, e chega mais cedo ou mais tarde do que devia, jamais conseguirá o que pretende.

– Prefiro escutá-la dizendo "vá embora" a permanecer com o Zahir em minhas noites e meus dias. Se ela disser isso, deixará de ser uma idéia fixa, para transformar-se em uma mulher que agora vive e pensa de maneira diferente.

– Não será mais o Zahir, mas será uma grande perda. Se um homem e uma mulher conseguem manifestar a Energia, eles estão realmente ajudando todos os homens e mulheres do mundo.

– Você está me deixando assustado. Eu a amo. Você sabe que eu a amo, e você me diz que ela ainda me ama. Não sei o que é estar preparado, não posso viver em função do que os outros esperam de mim – nem mesmo Esther.

– Pelo que entendi de minhas conversas com ela, em algum momento você se perdeu. O mundo passou a girar em torno de você, exclusivamente de você.

– Não é verdade. Ela teve liberdade para criar seu próprio caminho. Ela decidiu ser correspondente de guerra, mesmo contra a minha vontade. Ela achou que tinha que buscar a razão da infelicidade humana, mesmo que eu argumentasse que é impossível saber. Será que ela deseja que eu volte a ser um trilho ao lado de outro trilho, guardando aquela distância estúpida, só porque os romanos decidiram?

– Ao contrário.

Mikhail voltou a caminhar, e eu o segui.

– Você acredita que ouço uma voz?

– Para falar a verdade, não sei. E já que estamos aqui, deixe-me mostrar uma coisa.

– Todo mundo pensa que é um ataque epilético, e eu deixo pensarem assim: é mais fácil. Mas esta voz me fala desde que sou criança, quando eu vi a mulher...

– Que mulher?

– Depois eu conto.

– Sempre que lhe pergunto algo, você responde: "depois eu conto."

– A voz está me dizendo algo. Sei que você está ansioso ou assustado. Na pizzaria, quando senti o vento quente e vi as luzes, sabia que eram os sintomas da minha conexão com o Poder. Sabia que ela estava ali para ajudar nós dois.

"Se você achar que tudo que estou dizendo não passa de insanidade de um rapaz epilético, que quer se aproveitar dos sentimentos de um escritor famoso, então amanhã lhe dou um mapa com um lugar onde ela se encontra, e você irá buscá-la. Mas a voz está nos dizendo algo."

– Posso saber o que é, ou depois você me conta?

– Conto daqui a pouco: ainda não entendi direito a mensagem.

– Mesmo assim, me prometa que me dará o endereço e o mapa.

– Prometo. Em nome da energia divina do amor, eu prometo isso. O que você disse que queria me mostrar?

Apontei para uma estátua dourada – uma jovem montada a cavalo.

– Isso. Ela escutava vozes. Enquanto as pessoas respeitaram o que dizia, tudo correu bem. Quando começaram a duvidar, o vento da vitória mudou de lado.

Joana D'Arc, a virgem de Orleans, a heroína da Guerra dos Cem Anos, que aos 17 anos tinha sido nomeada comandante das tropas porque... ouvia vozes, e as vozes lhe diziam a melhor estratégia para derrotar os ingleses. Dois anos depois, era condenada à morte na fogueira, acusada de feitiçaria. Eu tinha usado em um de meus livros uma parte do interrogatório, datada de 24 de fevereiro de 1431:

Ela foi então questionada pelo Dr. Jean Beaupére. Perguntada se tinha ouvido uma voz, respondeu:

"ouvi três vezes, ontem e hoje. De manhã, na hora das Vésperas, e quando tocaram a Ave-Maria..."

Perguntada se a voz estava no quarto, ela respondeu que não sabia, mas que tinha sido acordada por ela. Não estava no quarto, mas estava no castelo.

Ela perguntou à voz o que devia fazer, e a voz pediu que se levantasse da cama e colocasse as palmas das mãos juntas.

Então (Joana D'Arc) disse ao bispo que a interrogava:

"O senhor afirma que é meu juiz. Portanto, tenha muita atenção com o que irá fazer, porque eu sou enviada de Deus, e o senhor está em perigo. A voz me fez revelações que devo dizer ao rei, mas não ao senhor. Esta voz que escuto (há muito tempo) vem de Deus, e eu tenho mais medo de contrariar as vozes do que contrariar o senhor."

– Você não está insinuando que...
– Que você é uma encarnação de Joana D'Arc? Não acho. Ela morreu com apenas 19 anos, e você já tem 25. Ela comandou o exército francês e, pelo que me disse, você não consegue comandar nem mesmo sua vida.

Tornamos a sentar no muro que margeia o Sena.

– Acredito em sinais – insisti. – Eu acredito em destino. Acredito que as pessoas tenham, todos os dias, uma possibilidade de saber qual a melhor decisão a tomar em tudo que fazem. Acredito que falhei, que perdi em algum momento minha conexão com a mulher que amava. E agora, tudo que preciso é terminar este ciclo; portanto, quero o mapa, quero ir até ela.

Ele me olhou, e parecia a pessoa em transe que se apresentava no palco do restaurante. Pressenti um novo ataque epilético – no meio da noite, em um lugar praticamente deserto.

– A visão me deu poder. Este poder é quase visível, palpável. Eu posso manejá-lo, mas não posso dominá-lo.

– Está tarde para este tipo de conversa. Estou cansado, e você também. Gostaria que me desse o mapa e o lugar.

– A voz... eu lhe darei o mapa amanhã à tarde. Onde posso entregá-lo?

Dei meu endereço, e me surpreendi que ele não soubesse onde eu vivera com Esther.

– Você acha que eu dormi com sua mulher?
– Eu jamais perguntaria isso. Não é da minha conta.

– Mas perguntou, quando estávamos na pizzaria. Tinha me esquecido. Claro que era da minha conta, mas agora sua resposta já não me interessava mais.

Os olhos de Mikhail mudaram. Eu procurei no bolso algo para colocar em sua boca, no caso de um ataque: mas ele parecia calmo, mantendo a situação sob controle.

– Neste momento estou escutando a voz. Amanhã pegarei o mapa, as anotações, os vôos, irei até sua casa. Acredito que ela está esperando você. Acredito que o mundo será mais feliz se duas pessoas, apenas duas pessoas, forem mais felizes. Mas acontece que a voz está me dizendo que não conseguiremos nos ver amanhã.

– Eu tenho apenas um almoço com um ator que chegou dos Estados Unidos, e não tenho como cancelar. Estarei esperando o resto do dia.

– Mas a voz diz isso.

– Ela está proibindo você de ajudar-me a reencontrar Esther?

– Não creio. Foi a voz que me estimulou a ir em sua tarde de autógrafos. A partir daí, eu sabia mais ou menos como as coisas iriam se encaminhar da maneira como se encaminharam – porque tinha lido *Tempo de rasgar, tempo de costurar*.

– Então – e eu estava morrendo de medo que ele mudasse de idéia – vamos fazer o que combinamos. Estou livre a partir das duas horas da tarde.

– Mas a voz diz que ainda não é o momento.

– Você me prometeu.

– Está bem.

Ele estendeu-me a mão, e disse que amanhã passaria em minha casa no final do dia. Suas últimas palavras naquela noite foram:

– A voz diz que só permitirá que isso aconteça na hora certa.

Para mim, enquanto voltava para meu apartamento, a única voz que escutava era a de Esther, falando de amor. E, enquanto me lembrava da conversa, entendia que ela estava se referindo ao nosso casamento.

—Quando eu tinha 15 anos, era louca para descobrir o sexo. Mas era pecado, era proibido. Eu não podia entender por que era pecado: você pode? Você pode me dizer por que todas as religiões, em todos os lugares do mundo, consideram o sexo como algo proibido – mesmo as religiões e culturas mais primitivas?

– Você agora deu para pensar em coisas muito esquisitas. Por que o sexo é proibido?

– Por causa da alimentação.

– Alimentação?

– Há milhares de anos, as tribos viajavam, faziam amor livremente, tinham filhos, e quanto mais povoada ficava uma tribo, mais chances ela tinha de desaparecer – lutavam entre si por comida, matando as crianças, depois matando as mulheres, que eram mais fracas. Sobravam apenas os fortes, mas eram todos homens. E homens, sem mulheres, não conseguem perpetuar a espécie.

"Então alguém, vendo que isso acontecera na tribo vizinha, resolveu evitar que também acontecesse na sua. Inventou uma história: os deuses proibiam que os homens fizessem amor com todas as mulheres. Podiam fazer apenas com uma, ou duas no máximo. Alguns eram impotentes, algumas eram estéreis, parte da tribo não tinha filhos por razões naturais, mas ninguém podia trocar de parceiros.

"Todos acreditaram, porque quem disse isso falava em nome dos deuses, devia ter algum tipo de comportamento diferente – uma deformidade, uma doença que provoca convulsões, um dom especial, qualquer coisa que o distinguisse dos outros, porque foi assim que surgiram os primeiros líderes. Em poucos anos, a tribo se tornou mais forte – um número certo de homens capazes de alimentar a todos, mulheres capazes de reproduzir, crianças capazes de lentamente aumentar o número de caçadores e de reprodutoras. Você sabe o que dá mais prazer a uma mulher no casamento?"

– Sexo.

– Errado: alimentar. Ver seu homem comer. Este é o momento de glória da mulher, que passa o dia inteiro pensando no jantar. E deve ser talvez por causa disso, por causa de uma história escondida no passado – a fome, a ameaça de extinção da espécie e o caminho para a sobrevivência.

– Você sente falta de filhos?

– Não aconteceu, não é verdade? Como posso sentir falta de uma coisa que não aconteceu?

– E acha que isso teria mudado nosso casamento?

– Como é que vou saber? Posso olhar minhas amigas e meus amigos: eles são mais felizes por causa dos filhos? Alguns sim, outros nem tanto. Podem ser felizes com os filhos, mas isso não melhorou nem piorou a relação entre eles. Continuam se julgando no direito de tentar controlar o outro. Continuam achando que a promessa "serem felizes para sempre" precisa ser mantida, mesmo à custa de infelicidade cotidiana.

– A guerra está lhe fazendo mal, Esther. Ela está colocando-a em contacto com uma realidade muito diferente da vida que vivemos aqui. Sim, eu sei que vou morrer; por causa disso, vivo cada dia como se fosse um milagre. Mas isso não me obriga a ficar pensando em amor, felicidade, sexo, alimentação, casamento.

– A guerra não me deixa pensar. Eu simplesmente existo, e ponto final. Quando entendo que a qualquer momento posso ser atravessada por uma bala perdida, penso: "que bom, não preciso me preocupar com o que se passará com minha criança." Mas penso também: "que pena, vou morrer, e nada restará de mim. Fui capaz apenas de perder a vida, não fui capaz de trazê-la ao mundo."

– Existe algo errado com a gente? Pergunto isso porque às vezes acho que você quer me dizer coisas, mas termina não levando a conversa adiante.

– Sim, existe algo errado. Temos a obrigação de ser felizes juntos. Você acha que me deve tudo que é, eu acho que devo sentir-me privilegiada por ter um homem como você ao meu lado.

– Eu tenho a mulher que amo, nem sempre reconheço isso, e termino me perguntando: "o que há de errado comigo?"

– Ótimo que você compreenda isso. Não há nada de errado com você, e não há nada de errado comigo, que também faço a mesma pergunta. O que há de errado agora é a maneira com que manifestamos nosso amor. Se aceitássemos que isso cria problemas, poderíamos conviver com estes problemas e sermos felizes. Seria uma constante luta, e isso nos manteria ativos, vivos, animados, com muitos universos para conquistar. Mas estamos caminhando para um ponto onde as coisas se acomodam. Onde o amor pára de criar problemas, confrontos – e passa a ser apenas uma solução.

– O que há de errado nisso?

– Tudo. Sinto que a energia do amor, aquilo que chamam de paixão, parou de passar através da minha carne e da minha alma.

– Mas ficou algo.

– Ficou? Será que todo casamento tem que terminar assim, com a paixão cedendo lugar a algo que chamam de "relacionamento maduro"? Eu preciso de você. Eu sinto sua falta. Eu às vezes tenho ciúme. Eu gosto de pensar no que irá jantar, embora você às vezes nem preste atenção no que está comendo. Mas falta alegria.

– Não falta. Quando você está longe, gostaria que estivesse perto. Fico imaginando as conversas que teremos quando eu ou você voltarmos de uma viagem. Telefono para saber se está tudo bem, preciso ouvir sua voz todos os dias. Posso garantir que continuo apaixonado.

– O mesmo se passa comigo, mas o que acontece quando estamos perto? Discutimos, brigamos por bobagem, um quer mudar o outro, quer impor sua maneira de ver a realidade. Você me cobra coisas que não têm o menor sentido, e eu ajo da mesma maneira. De vez em quando, no silêncio de nossos corações, dizemos a nós mesmos: "como seria bom ser livre, não ter nenhum compromisso."

– Tem razão. E nestes momentos eu me sinto perdido, porque sei que estou com a mulher que desejo.

– E eu também estou com o homem que sempre quis ter ao meu lado.

– Você acha que pode mudar isso?

– À medida que fico mais velha, menos homens olham para mim, e mais eu penso: "melhor deixar tudo como está." Tenho certeza que posso me enganar pelo resto da vida. Entretanto, cada vez que vou para a guerra, vejo que existe um amor maior, muito maior do que o ódio que faz com que os homens se matem uns aos outros. E nestes momentos, e só nestes momentos, acho que posso mudar isso.

– Você não pode viver o tempo todo na guerra.

– E tampouco posso viver o tempo todo nesta espécie de paz que encontro ao seu lado. Ela está destruindo a única coisa importante que tenho: minha relação com você. Mesmo que a intensidade do amor continue a mesma.

– Milhões de pessoas no mundo inteiro estão pensando nisso agora, resistem bravamente e deixam estes momentos de depressão passar. Agüentam uma, duas, três crises, e finalmente encontram a calma.

– Você sabe que não é bem assim. Ou não teria escrito os livros que escreveu.

*H*avia decidido que meu almoço com o ator americano seria na pizzaria de Roberto – era preciso voltar ali imediatamente, para desfazer qualquer má impressão que pudesse ter causado. Antes de sair, avisei à minha empregada e ao porteiro do prédio onde morava: se por acaso não voltasse na hora marcada, e um jovem com traços mongóis aparecesse para entregar-me uma encomenda, era importantíssimo que o convidassem para subir, esperar na sala, servir-lhe tudo que desejasse. Se o jovem não pudesse esperar, então pedir que deixasse com um dos dois aquilo que viera me entregar.

Sobretudo, jamais deixá-lo ir embora sem que deixasse a encomenda!

Peguei um táxi, e pedi que parasse na esquina do boulevard Saint-Germain com a rue Saint-Pères. Caía uma chuva fina, mas eram apenas 30 metros de caminhada até o restaurante – com seu letreiro discreto, e o sorriso generoso de Roberto, que de vez em quando saía para fumar um cigarro. Uma mulher com um carrinho de bebê caminhava em minha direção pela calçada estreita e, como não havia espaço para os dois, desci o meio-fio para permitir que ela passasse.

Foi então que, em câmera lenta, o mundo deu uma volta imensa: o chão virou céu, o céu virou chão, pude reparar em alguns detalhes da parte superior do edifício na esquina – já tinha passado muitas vezes por ali e jamais olhara para o alto. Lembro-me da sensação de surpresa, do vento soprando forte em meu ouvido e de um latido de cão à distância; logo tudo ficou escuro. Fui empurrado em grande velocidade em um buraco negro, onde podia distinguir uma luz no final. Antes que chegasse lá, mãos invisíveis me puxaram para trás com grande violência, e acordei com vozes e gritos que escutava ao meu redor: tudo não deve ter durado mais que alguns segundos. Senti o gosto de sangue na boca, o cheiro do asfalto molhado, e logo me dei conta que havia sofrido um acidente. Estava consciente e inconsciente ao mesmo tempo, tentei mas não consegui me mover, pude enxergar outra pessoa estendida no chão, ao meu lado – podia sentir seu cheiro, seu perfume, imaginei que era a mulher que vinha com o bebê pela calçada: meu Deus!

Alguém se aproximou para tentar me levantar, eu gritei para que não me tocassem, era um perigo mexer no meu corpo agora; tinha aprendido em uma conversa sem importância, em uma noite sem importância, que, se eu tivesse uma fratura no pescoço, qualquer movimento em falso podia me paralisar para sempre.

Lutei para manter a consciência, esperei uma dor que não chegava nunca, tentei mover-me e achei melhor não fazê-lo – sentia uma sensação de câimbra, de torpor. Pedi de novo que não me tocassem, escutei ao longe a sirene, e entendi que podia dormir, não precisava mais lutar para salvar minha vida, ela estava perdida ou estava ganha, isso já não era mais uma decisão minha, mas dos médicos, dos enfermeiros, da sorte, da "coisa", de Deus.

Comecei a escutar a voz de uma menina – que me dizia seu nome, que eu não conseguia gravar – pedindo que eu ficasse tranqüilo, garantindo que eu não iria morrer. Queria acreditar em suas palavras, implorei para que ficasse mais tempo ao meu lado, mas ela logo desapareceu; vi que colocavam algo plástico em meu pescoço, uma máscara em meu rosto, e então dormi de novo, desta vez sem qualquer tipo de sonho.

Q uando recobrei a consciência, não havia nada além de um zumbido horrível nos ouvidos: o resto era silêncio e escuridão completa. De repente, senti que tudo se mexia, e tive certeza de que estavam carregando meu caixão, eu iria ser enterrado vivo!

Tentei bater nas paredes à minha volta, mas não conseguia mover um só músculo do corpo. Por um tempo que me pareceu infinito, eu sentia que estava sendo empurrado para a frente, já não conseguia controlar mais nada, e neste momento, juntando toda a força que ainda me restava, eu dei um grito, que ecoou naquele ambiente fechado, voltou para os meus ouvidos, quase me ensurdece – mas eu sabia que com aquele grito eu estava salvo, pois logo começou a aparecer uma luz em meus pés: descobriram que eu não morrera!

A luz – a bendita luz, que me salvava do pior dos suplícios, a asfixia – foi aos poucos iluminando meu corpo, retiravam a tampa do caixão finalmente, eu suava frio, sentia uma imensa dor, mas estava contente, aliviado, eles haviam se dado conta do erro, e que alegria poder voltar para este mundo!

A luz finalmente chegou aos meus olhos: uma mão suave tocou a minha, um rosto angelical enxugou o suor da minha testa:

– Não se preocupe – disse o rosto angelical, cabelos louros, a roupa toda branca. – Não sou um anjo, você não morreu, isso não é um caixão, mas um aparelho de ressonância magnética, para ver possíveis lesões que possam ter acontecido. Pelo visto não há nada grave, mas terá que ficar aqui em observação.

– Nem um osso quebrado?

– Escoriações generalizadas. Se eu trouxer um espelho, ficará horrorizado com sua aparência: mas isso passará em alguns dias.

Tentei levantar-me, ela me impediu com doçura. E então senti uma dor de cabeça muito forte, e gemi.

– Você sofreu um acidente, isso é natural, não acha?

– Acho que vocês estão me enganando – disse com esforço.

– Sou adulto, vivi intensamente minha vida, posso aceitar certas notícias sem entrar em pânico. Algum vaso em minha cabeça está prestes a estourar.

Dois enfermeiros apareceram e me colocaram em uma maca. Percebi que usava um aparelho ortopédico em volta do pescoço.

– Alguém comentou que você pediu para que não lhe movessem – disse o anjo. – Ótima decisão. Terá que ficar com este colarinho por algum tempo, mas se não houver qualquer surpresa desagradável – já que nunca sabemos as conseqüências – em breve tudo não terá passado de um grande susto, e de uma grande sorte.

– Quanto tempo? Eu não posso ficar aqui.

Ninguém respondeu nada. Marie me esperava sorrindo fora da sala de radiologia – pelo visto os médicos haviam comentado que a princípio não havia nada de grave. Passou a mão nos meus cabelos, disfarçou o horror que devia estar sentindo ao ver minha aparência.

O pequeno cortejo seguiu pelo corredor do hospital – ela, dois enfermeiros que empurravam a maca e o anjo de branco. A cabeça doía cada vez mais.

– Enfermeira, a cabeça...

– Não sou enfermeira, sou sua médica no momento, estamos aguardando seu clínico pessoal chegar. Quanto à cabeça, não se preocupe: por causa de um mecanismo de defesa, o organismo fecha todos os vasos sanguíneos no momento de um acidente, de modo a evitar sangramento. Quando percebe que não há mais perigo, eles voltam a se abrir, o sangue volta a correr, e isso dói. Nada mais. De qualquer maneira, se quiser posso lhe dar algo para dormir.

Recusei. E como surgindo de algum canto escuro de minha alma, me lembrei de uma frase que escutara no dia anterior: "A voz diz que só permitirá que isso aconteça na hora certa." Ele não podia saber. Não era possível que tudo o que ocorrera na esquina de Saint-Germain com Saint-Pères fosse resultado de uma conspiração universal, de algo predeterminado pelos deuses, que deviam estar ocupadíssimos cuidando deste planeta em condições precárias, em vias de destruição, mas tinham parado todo o trabalho apenas para impedir que eu fosse ao encontro do Zahir. O rapaz não tinha a menor chance de prever o futuro, a não ser que... realmente escutasse uma voz, houvesse esse plano, e as coisas fossem muito mais importantes do que eu imaginava.

Aquilo começava a ser demasiado para mim: o sorriso de Marie, a possibilidade de alguém escutar uma voz, a dor cada vez mais insuportável.

– Doutora, mudei de idéia: quero dormir, não consigo agüentar a dor.

Ela disse algo para um dos enfermeiros que empurrava a maca, que saiu e voltou antes mesmo de termos chegado ao quarto. Senti uma picada em meu braço, e logo estava dormindo.

Quando despertei, quis saber exatamente o que havia acontecido, se a mulher que vira ao meu lado também havia escapado, o que acontecera com seu bebê. Marie disse que eu precisava descansar, mas Dr. Louit, meu médico e amigo, já havia chegado, e achou que não havia nenhum problema em contar. Eu fora atropelado por uma motocicleta: o corpo que vira no chão era do rapaz que a dirigia, que fora levado ao mesmo hospital, mas que tivera a mesma sorte que eu – apenas escoriações generalizadas. O inquérito policial feito logo após o acidente deixava claro que eu estava no meio da rua quando o acidente aconteceu, neste caso colocando em risco a vida do motociclista.

Ou seja, eu era aparentemente o culpado de tudo, mas o rapaz resolvera não dar nenhuma queixa. Marie tinha ido visitá-lo, conversaram um pouco, soube que ele era imigrante e trabalhava ilegalmente, tinha medo de dizer qualquer coisa à polícia. Saiu do hospital 24 horas depois, já que no momento do acidente estava usando capacete, e isso diminuía muito o risco de algum dano no cérebro.

– Você diz que ele saiu 24 horas depois? Quer dizer que estou aqui há mais de um dia?

– Três dias. Depois que saiu da ressonância magnética, a doutora telefonou-me e pediu permissão para mantê-lo com sedativos. Como acho que você tem andado muito tenso, irritado, deprimido, autorizei-a a fazer isso.

– E o que pode acontecer agora?

– A princípio, mais dois dias no hospital, e três semanas com este aparelho no pescoço: as 48 horas críticas já se passaram. Mesmo assim, uma parte de seu corpo pode rebelar-se contra a idéia de continuar se comportando bem, e teremos um problema para resolver. Mas é melhor só pensar nisso se estivermos diante de uma emergência – não vale a pena sofrer antecipadamente.

– Ou seja, ainda posso morrer?

– Como você deve saber muito bem, todos nós não apenas podemos, como vamos morrer.

– Digo: posso ainda morrer por causa do acidente?

Dr. Louit deu uma pausa.

– Sim. Existe sempre a possibilidade de ter formado um coágulo de sangue que os aparelhos não conseguiram localizar, e que pode libertar-se a qualquer momento e provocar uma embolia. Existe também a chance de uma célula ter enlouquecido, e começar a formar um câncer.

– O senhor não devia fazer este tipo de comentário – interrompeu Marie.

– Somos amigos há cinco anos. Ele me perguntou, e eu estou respondendo. E agora peço desculpas, mas preciso voltar ao meu consultório. Medicina não é como vocês pensam. No mundo em que vivem, se um menino sai para comprar cinco maçãs, mas só chega em casa com duas, concluem que ele comeu as três que estão faltando.

"No meu mundo, existem outras possibilidades: ele pode ter comido, mas também pode ter sido roubado, o dinheiro não deu para comprar as cinco que pensava, ele as perdeu no caminho, uma pessoa estava com fome e ele resolveu dividir as frutas com esta pessoa etc. No meu mundo, tudo é possível, e tudo é relativo."

– O que o senhor sabe a respeito de epilepsia?

Marie imediatamente entendeu que eu estava me referindo a Mikhail – e seu temperamento deixou transparecer certo desagrado. Na mesma hora disse que precisava ir, pois tinha uma filmagem esperando.

Mas o Dr. Louit, embora já tivesse pegado suas coisas para ir embora, parou para responder à minha pergunta.

– Trata-se de um excesso de impulsos elétricos em determinada região do cérebro, o que provoca convulsões de maior ou menor gravidade. Não há nenhum estudo definitivo a respeito, acreditam que os ataques acontecem quando a pessoa está sob grande tensão. Entretanto, não se preocupe: embora a doença possa dar seu primeiro sintoma em qualquer idade, ela dificilmente seria causada por um acidente de motocicleta.

– E o que a causa?

– Não sou um especialista, mas se quiser posso me informar a respeito.

– Sim, quero. E tenho outra pergunta, mas por favor não ache que meu cérebro ficou afetado por causa do acidente. É possível que epiléticos escutem vozes e tenham premonição do futuro?

– Alguém disse que este acidente ia acontecer?

– Não disse exatamente isso. Mas foi o que entendi.

– Desculpe, mas não posso ficar mais tempo, vou dar uma carona a Marie. Quanto à epilepsia, procurarei me informar.

Durante os dois dias em que Marie ficou longe, e apesar do susto com o acidente, o Zahir voltou a ocupar seu espaço. Eu sabia que, se o rapaz realmente tivesse cumprido sua palavra, haveria um envelope me esperando em casa, com o endereço de Esther – mas agora eu estava assustado.

E se Mikhail estivesse falando a verdade a respeito da voz?

Comecei a tentar me lembrar dos detalhes: desci da calçada, olhei automaticamente, vi que um carro estava passando, mas vi também que estava a uma distância segura. Mesmo assim fui atingido, talvez por uma moto que tentava ultrapassar aquele carro, e estava fora do meu campo de visão.

Acredito em sinais. Depois do caminho de Santiago, tudo havia mudado por completo: o que precisamos aprender está sempre diante de nossos olhos, basta olhar ao redor com respeito e atenção, para descobrir onde Deus deseja nos levar, e qual o melhor passo a ser dado no próximo minuto. Aprendi também a respeitar o mistério: como dizia Einstein, Deus não joga dados com o universo, tudo está interligado e tem um sentido. Embora este sentido permaneça oculto quase todo o tempo, sabemos quando estamos próximos de nossa verdadeira missão na Terra quando o que estamos fazendo está contagiado pela energia do entusiasmo.

Se estiver, tudo está bem. Se não estiver, é melhor mudar logo de rumo.

Quando estamos no caminho certo, seguimos os sinais, e se de vez em quando damos um passo em falso, a Divindade vem em nosso socorro, evitando que cometamos um erro. Será que o acidente era um sinal? Será que Mikhail, naquele dia, tinha intuído um sinal que era para mim?

Decidi que a resposta para esta pergunta era: "sim".

E talvez por causa disso, por aceitar meu destino, deixar-
me guiar por uma força maior, notei que, no decorrer
daquele dia, o Zahir começava a perder sua intensidade. Eu sabia que tudo que precisava fazer era abrir um envelope, ler seu endereço e tocar a campainha de sua casa.

Mas os sinais indicavam que não era o momento. Se realmente Esther era tão importante na minha vida como imaginava, se continuava me amando (como dissera o rapaz), por que
forçar uma situação que iria me levar de novo aos mesmos erros
que cometi no passado?

Como evitar repeti-los?

Conhecendo melhor quem era eu, o que havia mudado, o
que provocara este corte súbito em um caminho que sempre
fora marcado pela alegria.

Bastava isso?

Não, precisava também saber quem era Esther – quais as
transformações pelas quais passara durante todo o tempo em
que vivemos juntos.

E era o suficiente responder a estas duas perguntas?

Faltava uma terceira: por que o destino nos havia colocado
juntos?

Tendo muito tempo livre naquele quarto de hospital, fiz
uma recapitulação geral de minha vida. Procurei sempre aventu-

ra e segurança ao mesmo tempo – embora sabendo que as duas
coisas não combinavam entre si. Mesmo tendo certeza de meu
amor por Esther, me apaixonava com rapidez por outras mulheres, apenas porque o jogo da sedução é o que existe de mais interessante no mundo.

Tinha sabido demonstrar meu amor por minha mulher?
Talvez durante um período, mas nem sempre. Por quê? Porque
achava que não era necessário, ela devia saber, ela não podia
colocar em dúvida meus sentimentos.

Lembro-me que, muitos anos atrás, alguém me perguntou o
que tinham em comum todas as namoradas que passaram por
minha vida. A resposta foi fácil: EU. E ao perceber isso, vi o
tempo que tinha perdido na busca da pessoa certa – as mulheres
mudavam, eu permanecia o mesmo, e não aproveitava nada do
que vivêramos juntos. Tive muitas namoradas, mas sempre
fiquei esperando a pessoa certa. Controlei, fui controlado, e o
relacionamento não passou disso – até que chegou Esther, e
transformou o panorama por completo.

Estava pensando em minha ex-mulher com ternura: já não
era mais uma obsessão encontrá-la, saber por que tinha desaparecido sem explicações. Embora *Tempo de rasgar, tempo de costurar* fosse um verdadeiro tratado sobre meu casamento, o livro
era sobretudo um atestado que eu passava para mim mesmo:
sou capaz de amar, de sentir falta de alguém. Esther merecia
muito mais do que palavras; mesmo as palavras, as simples palavras, jamais tinham sido ditas enquanto estávamos juntos.

Sempre é preciso saber quando uma etapa chega ao final.
Encerrando ciclos, fechando portas, terminando capítulos – não
importa o nome que damos, o que importa é deixar no passado
os momentos da vida que já se acabaram. Pouco a pouco, comecei a entender que não podia voltar para trás, e fazer as coisas
voltarem a ser como eram: aqueles dois anos, que antes pare-

ciam um inferno sem fim, agora começavam a me mostrar seu verdadeiro significado.

E este significado ia muito além do meu casamento: todo homem, toda mulher estão conectados com a energia que muitos chamam de amor, mas que na verdade é a matéria-prima com a qual o universo foi construído. Esta energia não pode ser manipulada – é ela que nos conduz suavemente, é nela que reside todo o nosso aprendizado nesta vida. Se tentamos orientá-la para o que queremos, terminamos desesperados, frustrados, iludidos – porque ela é livre e selvagem.

Passaremos o resto da vida falando que amamos tal pessoa ou tal coisa, quando na verdade estamos apenas sofrendo porque, ao invés de aceitar sua força, tentamos diminuí-la, para que coubesse no mundo que imaginamos viver.

Quanto mais pensava nisso, mais o Zahir perdia sua força, e mais eu me aproximava de mim mesmo. Preparei-me para um longo trabalho, que iria me exigir muito silêncio, meditação e perseverança. O acidente me ajudara a compreender que eu não podia forçar algo para o qual ainda não havia chegado o "tempo de costurar".

Lembrei-me do que o Dr. Louit me dissera: depois de um trauma como este, a morte podia chegar a qualquer minuto. E se assim fosse? Se daqui a dez minutos o meu coração parasse de bater?

Um enfermeiro entrou no quarto para me servir o jantar, e perguntei:

– Você já pensou em seu funeral?

– Não se preocupe – respondeu ele. – Você vai sobreviver, sua aparência está muito melhor.

– Não estou preocupado. E sei que vou sobreviver, porque uma voz me disse que seria assim.

Falei da "voz" de propósito, apenas para provocá-lo. Ele me olhou desconfiado, pensando que talvez fosse o momento de pedir um novo exame, e verificar se meu cérebro não tinha sido realmente afetado.

– Sei que vou sobreviver – continuei. – Talvez mais um dia, mais um ano, mais 30 ou 40 anos. Mas um dia, apesar de todo o avanço da ciência, eu deixarei este mundo, e terei um funeral. Estava pensando nisso agora, e gostaria de saber se você alguma vez já refletiu sobre o assunto.

– Nunca. E não quero pensar; aliás, a coisa que mais me apavora é justamente saber que tudo irá acabar.

– Querendo ou não, concordando ou discordando, essa é uma realidade da qual ninguém escapa. Que tal se conversássemos um pouco sobre o tema?

– Preciso ver outros pacientes – disse, deixando a comida sobre a mesa, e saindo o mais rápido possível, como se tentasse fugir. Não de mim, mas das minhas palavras.

Se o enfermeiro não queria tocar no assunto, que tal se eu fizesse sozinho esta reflexão? Lembrei-me de trechos de um poema que aprendera na infância:

Quando a indesejada das gentes chegar
Talvez eu tenha medo. Talvez eu sorria e diga:
O meu dia foi bom, a noite pode descer.
Encontrará lavrado o campo, a mesa posta, a casa limpa, cada
coisa em seu lugar.

Gostaria que isso fosse verdadeiro: cada coisa em seu lugar. E qual seria o meu epitáfio? Tanto eu como Esther já tínhamos feito um testamento, onde, entre outras coisas, havíamos escolhido a cremação – minhas cinzas sendo espalhadas pelo vento em um lugar chamado Cebreiro, no caminho de Santiago, e as cinzas dela colocadas na água do mar. Portanto, não teria aquela famosa pedra com uma inscrição.

Mas se pudesse escolher uma frase? Então pediria que ali fosse gravado:

"Ele morreu enquanto estava vivo."

Podia parecer um contra-senso, mas conhecia muitas pessoas que já deixaram de viver, embora continuassem trabalhando, comendo e tendo suas atividades sociais de sempre. Faziam tudo de maneira automática, sem compreender o momento mágico que cada dia traz em si, sem parar para pensar no milagre da vida, sem entender que o próximo minuto pode ser o seu último na face deste planeta.

Era inútil tentar explicar isso ao enfermeiro – principalmente porque quem veio recolher o prato de comida foi uma outra pessoa, que começou a conversar compulsivamente comigo, talvez por ordem de algum médico. Queria saber se eu me lembrava de meu nome, se sabia em que ano estávamos, o nome do presidente dos Estados Unidos, e outras perguntas que só têm sentido quando estamos sendo examinados para que se certifiquem de nossa saúde mental.

Tudo isso porque eu fizera uma pergunta que todo ser humano precisava fazer: você já pensou em seu funeral? Você sabe que vai morrer mais cedo ou mais tarde?

Naquela noite, dormi sorrindo. O Zahir estava desaparecendo, Esther voltava, e – se eu tivesse que morrer hoje, apesar de tudo o que tinha ocorrido em minha vida, apesar de minhas derrotas, do desaparecimento da mulher amada, das injustiças que sofrera ou que fizera alguém sofrer, eu permanecera vivo até o último minuto, e com toda certeza podia afirmar:

"O meu dia foi bom, a noite pode descer."

D ois dias depois eu estava em casa. Marie foi preparar o almoço, eu dei uma olhada na correspondência que se havia acumulado. O interfone tocou, era o porteiro dizendo que o envelope que eu esperara na semana anterior tinha sido entregue, e devia estar em cima de minha mesa. Agradeci e, ao contrário de tudo que imaginara antes, não saí correndo para abri-lo. Almoçamos, perguntei a Marie sobre suas filmagens, ela quis saber sobre meus planos – já que, com o colarinho ortopédico, eu não podia ficar saindo a todo momento. Disse que, se precisasse, ficaria junto comigo o tempo necessário.

– Tenho uma pequena apresentação para um canal de TV coreano, mas posso adiar, ou posso simplesmente cancelar. Claro, se você estiver precisando de minha companhia.

– Estou precisando de sua companhia e fico muito contente de saber que pode estar por perto.

Com um sorriso no rosto, ela pegou imediatamente o telefone, ligou para sua empresária e pediu que mudasse seus compromissos. Escutei-a comentar: "não diga que fiquei doente, tenho superstição, e sempre que usei essa desculpa terminei ficando de cama; diga que preciso cuidar da pessoa que amo."

Havia uma série de providências urgentes: entrevistas que tinham sido adiadas, convites que precisavam ser respondidos, cartões de agradecimento aos vários telefonemas e buquês de flores que recebera, textos, prefácios, recomendações. Marie passava o dia inteiro em contacto com minha agente, reorganizando minha agenda de modo a não deixar ninguém sem resposta. Todas as noites jantávamos em casa, conversando sobre assuntos ora interessantes, ora banais – como qualquer casal. Em um destes jantares, depois de alguns copos de vinho, ela comentou que eu estava mudado.

– Parece que estar perto da morte lhe devolveu um pouco a vida – disse.

– Isso acontece com todo mundo.

– Mas, se você me permite – e não quero começar a discutir nem estou provocando uma crise de ciúmes – desde que chegou em casa, não fala de Esther. Isso já tinha acontecido quando você terminou *Tempo de rasgar, tempo de costurar*: o livro funcionou como uma espécie de terapia, que infelizmente durou pouco.

– Você quer dizer que o acidente pode ter provocado algum tipo de conseqüência em meu cérebro?

Embora meu tom não fosse agressivo, ela resolveu mudar de assunto, e começou a me contar o medo que sentira em uma viagem de helicóptero de Mônaco a Cannes. No final da noite, estávamos na cama, fazendo amor com muita dificuldade por causa do meu colarinho ortopédico – mas mesmo assim, fazendo amor e sentindo-nos muito próximos um do outro.

Quatro dias depois, a gigantesca pilha de papel em cima de minha mesa havia desaparecido. Restava apenas um envelope grande, branco, com meu nome e o número de meu apartamento. Marie fez menção de abri-lo, mas eu disse que não, aquilo podia esperar.

Ela nada me perguntou – talvez se tratasse de informações sobre minhas contas bancárias, ou uma correspondência confidencial, possivelmente de uma mulher apaixonada. Eu tampouco nada expliquei, retirei-o da mesa e coloquei entre alguns livros. Se ficasse olhando para ele o tempo todo, o Zahir terminaria voltando.

Em nenhum momento o amor que sentia por Esther havia diminuído; mas cada dia passado no hospital me fizera lembrar algo interessante: não as nossas conversas, mas os momentos em que ficamos juntos em silêncio. Eu recordava seus olhos de moça entusiasmada com a aventura, de mulher orgulhosa com o sucesso de seu marido, de jornalista interessada sobre cada tema que escrevia, e – a partir de determinado momento – de esposa que parecia já não ter um lugar em minha vida. Este olhar de tristeza começara antes de pedir para ser correspondente de guerra; transformava-se em alegria cada vez que voltava do campo de batalha, mas poucos dias depois voltava a ser como era.

Certa tarde, o telefone tocou.

– É o rapaz – disse Marie me passando o telefone.

Do outro lado da linha, escutei a voz de Mikhail, primeiro dizendo o quanto sentia pelo ocorrido, e logo me perguntando se eu recebera o envelope.

– Sim, está aqui comigo.

– E pretende ir ao seu encontro?

Marie estava escutando a conversa, julguei melhor mudar de assunto.

– Conversaremos pessoalmente a este respeito.

– Não estou cobrando nada, mas você prometeu me ajudar.

– Também cumpro minhas promessas. Assim que estiver restabelecido, nos vemos.

Ele me deixou o número de seu telefone celular, desligamos, e vi que Marie já não parecia a mesma mulher.

– Então, tudo continua a mesma coisa – foi seu comentário.

– Não. Tudo mudou.

Eu devia ter sido mais claro, dizer que ainda tinha vontade de vê-la, que sabia onde se encontrava. Na hora certa, iria pegar um trem, um táxi, um avião, qualquer meio de transporte, apenas para estar ao seu lado. Mas isso significava perder a mulher que estava ao meu lado naquele minuto, aceitando tudo, fazendo o possível para provar como eu era importante para ela. Uma atitude covarde, claro. Tive vergonha de mim mesmo, mas a vida era assim, e, de alguma maneira que não conseguia explicar direito, eu também amava Marie.

Fiquei também calado porque sempre acreditara em sinais, e ao me lembrar dos momentos de silêncio ao lado de minha mulher, eu sabia que – com vozes ou sem vozes, com ou sem explicações – a hora do reencontro não havia chegado. Mais do que todas as nossas conversas juntas, era em nosso silêncio que eu devia me concentrar agora, porque ele me daria liberdade total para entender o mundo em que as coisas tinham dado certo, e o momento em que elas passaram a dar errado.

Marie estava ali, me olhando. Podia continuar sendo desleal com uma pessoa que fazia tudo por mim? Comecei a sentir-me incomodado, mas era impossível contar tudo, a não ser... a não ser que achasse uma maneira indireta de dizer o que estava sentindo.

– Marie, suponhamos que dois bombeiros entrem em uma floresta para apagar um pequeno incêndio. No final, quando saem e vão para a beira de um riacho, um deles tem o rosto todo coberto de cinzas, e o outro está imaculadamente limpo. Pergunto: qual dos dois irá lavar o rosto?

– É uma pergunta tola: evidente que será o que está coberto de cinzas.

– Errado: o que tem o rosto sujo irá olhar o outro, pensar que está igual a ele. E vice-versa: o que tem o rosto limpo verá que seu companheiro está com fuligem por toda a parte, e dirá para si mesmo: devo também estar sujo, preciso lavar-me.

– O que você quer dizer?

– Quero dizer que, durante o tempo que passei no hospital, entendi que sempre procurava a mim mesmo nas mulheres que amei. Eu olhava seus rostos limpos, lindos, e me via refletido nelas. Por outro lado, elas me olhavam, viam as cinzas que cobriam minha face, e por mais inteligentes e mais seguras que fossem, terminavam também se vendo refletidas em mim, e se achando piores do que eram. Não deixe que isso aconteça com você, por favor.

Gostaria de ter acrescentado: isso se passou com Esther. E só compreendi quando me lembrei das mudanças em seu olhar. Eu sempre absorvia sua luz, sua energia, que me deixava feliz, seguro, capaz de seguir adiante. Ela me olhava, sentia-se feia, diminuída, porque à medida que os anos passavam minha carreira – aquela carreira que ela tanto ajudara a tornar-se realidade – ia deixando nossa relação para segundo plano.

Portanto, para tornar a vê-la, eu precisava que meu rosto estivesse tão limpo como o seu. Antes de encontrar-me com ela, eu devia encontrar-me comigo.

O fio de Ariadne

*N*asço em uma pequena aldeia, distante alguns quilômetros de uma aldeia um pouco maior, mas onde tem uma escola e um museu dedicado a um poeta que viveu ali há muitos anos. Meu pai tem quase 70 anos, minha mãe 25. Conheceram-se recentemente, quando ele, vindo da Rússia para vender tapetes, encontrou-a e resolveu abandonar tudo por sua causa. Ela podia ser sua neta, mas na verdade comporta-se como sua mãe, ajuda-o a dormir – coisa que não consegue fazer direito desde os 17 anos, quando foi enviado para lutar contra os alemães em Stalingrado, uma das mais longas e sangrentas batalhas da II Guerra Mundial. De seu batalhão de 3 mil homens, sobrevivem apenas três.

É curioso que ele não usa o tempo passado: "nasci em uma pequena aldeia." Tudo parece estar acontecendo aqui e agora.

– Meu pai em Stalingrado: de volta de uma patrulha de reconhecimento, ele e seu melhor amigo, também um garoto, são surpreendidos por uma troca de tiros. Deitam-se em um buraco aberto pela explosão de uma bomba, e ali passam dois dias, sem comer, sem ter como aquecer-se, deitados na lama e na neve. Podem ouvir russos conversando em um edifício próximo, sabem que precisam chegar até ali, mas os tiros não param, o cheiro de sangue enche o ar, os feridos gritam por socorro dia e noite. De repente, tudo fica em silêncio. O amigo de meu pai, achando que os alemães haviam se retirado, levanta-se. Meu pai tenta segurá-lo pelas pernas, grita: "abaixe-se!" Mas é tarde demais: uma bala perfurou o seu crânio.

"Mais dois dias se passam, meu pai está sozinho com o cadáver de seu amigo ao seu lado. Não consegue parar de repetir 'abaixe-se!'. Finalmente é resgatado por alguém, levado ao edifício. Não há comida, apenas munição e cigarros. Comem as folhas de tabaco. Uma semana depois, começam a comer carne dos companheiros mortos e congelados. Um terceiro batalhão chega, abrindo caminho à bala, os sobreviventes são resgatados, os feridos são cuidados, e logo retornam à frente de batalha – Stalingrado não pode cair, é o futuro da Rússia que está em jogo. Depois de quatro meses de furiosos combates, canibalismo, membros amputados por causa do frio, os alemães finalmente se rendem – é o começo do fim de Hitler e seu Terceiro Reino. Meu pai retorna a pé à sua aldeia, distante quase mil quilômetros de Stalingrado. Descobre que não consegue dormir, sonha todas as noites com o companheiro que podia ter salvo.

"Dois anos depois a guerra acaba. Recebe uma medalha, mas não consegue emprego. Participa de comemorações, mas quase não tem o que comer. É considerado um dos heróis de Stalingrado, mas só consegue sobreviver de pequenas tarefas, pelas quais ganha algumas moedas. Finalmente, alguém lhe oferece um emprego de vendedor de tapetes. Como tem problemas de insônia, viaja sempre de noite, conhece contrabandistas, consegue ganhar sua confiança, e o dinheiro começa a entrar.

"É descoberto pelo governo comunista, que o acusa de negociar com criminosos, e, mesmo sendo herói de guerra, passa dez anos na Sibéria como 'traidor do povo'. Já velho, é finalmente solto, e a única coisa que conhece bem são tapetes. Consegue restabelecer seus antigos contactos, alguém lhe dá algumas peças para vender, mas ninguém se interessa em comprar: os tempos estão difíceis. Resolve partir de novo para longe, pede esmolas no meio do caminho, termina no Casaquistão. "Está velho, só, mas precisa trabalhar para comer. Passa os dias fazendo pequenas tarefas, e as noites dormindo muito pouco, e acordando com os gritos de 'abaixe-se!'. Curiosamente, apesar de tudo que passou, da insônia, da alimentação deficiente, das frustrações, do desgaste físico, dos cigarros que fuma sempre que pode, sua saúde é de ferro.

"Em uma pequena aldeia, encontra uma jovem. Ela mora com os pais, o leva para sua casa – a tradição da hospitalidade é o que há de mais importante naquela região. Colocam-no para dormir na sala, mas todos são acordados por seus gritos de 'abaixe-se!'. A moça vai até ele, faz uma prece, passa a mão na sua cabeça, e, pela primeira vez em muitas décadas, ele dorme em paz.

"No dia seguinte, ela diz que teve um sonho ainda menina – um homem muito velho iria lhe dar um filho. Esperou durante anos, teve alguns pretendentes, mas sempre se decepcionava. Seus pais estavam preocupadíssimos, não queriam ver a única filha solteira e rejeitada pela comunidade.

"Ela pergunta se deseja casar com ela. Ele fica surpreso, tem idade para ser sua neta, não responde nada. Quando o sol se põe, na pequena sala de visitas da família, ela pede para passar a mão na sua cabeça antes de dormir. Ele consegue novamente mais uma noite em paz.

"A conversa sobre o casamento surge de novo na manhã seguinte, desta vez na frente de seus pais, que parecem concordar com tudo – desde que sua filha arranje um marido, e desta maneira não se transforme em um motivo de vergonha para a família. Espalham a história de um velho que veio de longe, mas que na verdade é um riquíssimo comerciante de tapetes, cansado de viver no luxo e no conforto, que deixou tudo em busca de aventura. As pessoas ficam impressionadas, pensam em grandes dotes, imensas contas bancárias, e como minha mãe tem sorte de haver encontrado alguém que finalmente poderá levá-la para longe daquele final de mundo. Meu pai escuta aquelas histórias com uma mistura de deslumbramento e surpresa, entende que durante tantos anos viveu sozinho, viajou, sofreu, jamais tornou a encontrar sua família, e pela primeira vez na vida pode ter um lar. Aceita a proposta, participa da mentira sobre seu passado, casam-se segundo os costumes da tradição muçulmana. Dois meses depois, ela está grávida de mim.

"Convivo com meu pai até os sete anos: ele dormia direito, trabalhava no campo, caçava, falava com os outros habitantes da aldeia sobre suas posses e suas fazendas, olhava para minha mãe como se ela fosse a única coisa boa que lhe acontecera. Eu acho que sou filho de um homem rico, mas certa noite, diante da lareira, ele me conta seu passado, a razão de seu casamento, e me pede segredo. Diz que irá morrer em breve – o que acontece quatro meses depois. Dá seu último suspiro nos braços de minha mãe, sorrindo, como se todas as tragédias de sua existência jamais tivessem existido. Morre feliz."

Mikhail está contando sua história em uma noite de primavera, muito fria, mas com toda certeza não tão gelada como Stalingrado, onde a temperatura podia ir até $-35°$ C. Estamos sentados junto com mendigos que se aquecem em torno de uma fogueira improvisada. Tinha ido parar ali depois de um segundo telefonema seu – cobrando a minha parte da promessa. Durante nossa conversa, não me perguntou nada sobre o envelope que deixou em minha casa, como se soubesse – talvez pela "voz" – que eu finalmente resolvera seguir os sinais, deixar que as coisas acontecessem em seu devido tempo, e com isso me libertasse do poder do Zahir.

Quando pediu que o encontrasse em um dos mais violentos subúrbios de Paris, fiquei assustado. Normalmente, diria que tinha muita coisa para fazer, ou tentaria convencê-lo de que era muito melhor ir a um bar, onde teríamos o conforto necessário para discutir coisas importantes. Claro, sempre existia o meu medo de um outro ataque epilético na frente dos outros, mas agora eu já sabia como agir, e preferia isso ao risco de ser assaltado, usando um colarinho ortopédico, sem qualquer possibilidade de me defender.

Mikhail insistiu: era importante que me encontrasse com os mendigos, eles faziam parte de sua vida e da vida de Esther. No hospital, eu terminara por entender que algo estava errado em minha vida, e que precisava mudar com urgência.

Para mudar, o que devia fazer?

Coisas diferentes. Como ir a lugares perigosos, encontrar pessoas marginais – por exemplo.

Conta uma história que um herói grego, Teseu, entra em um labirinto para matar um monstro. Sua amada, Ariadne, lhe dá a ponta de um fio, de modo que ele o vá desenrolando aos poucos, e não se perca no caminho de volta. Sentado entre aquelas pessoas, escutando uma história, me dei conta de que há muito não experimentava nada semelhante a isso – o gosto do desconhecido, da aventura. Quem sabe, o fio de Ariadne estava me esperando justamente nos lugares que jamais visitaria, se não estivesse absolutamente convencido de que precisava fazer um grande, um gigantesco esforço para mudar a minha história e minha vida.

Mikhail continuou – e vi que o grupo inteiro estava prestando atenção ao que dizia: nem sempre os melhores encontros acontecem em torno de mesas elegantes, em restaurantes com aquecimento funcionando.

* * *

– Todos os dias tenho que caminhar quase uma hora até o lugar onde assisto às aulas. Olho as mulheres que vão buscar água, a estepe sem fim, os soldados russos que passam em longos comboios, as montanhas nevadas que, segundo alguém me conta, escondem um país gigantesco; a China. A aldeia tem um museu dedicado ao seu poeta, uma mesquita, a escola, e três ou quatro ruas. Aprendemos que existe um sonho, um ideal: devemos lutar pela vitória do comunismo e pela igualdade entre todos os seres humanos. Não acredito neste sonho, porque mesmo neste lugar miserável existem grandes diferenças – os representantes do partido comunista estão acima dos outros, e vez por outra vão até a cidade grande, Almaty, e voltam carregados de pacotes com comidas exóticas, presentes para os filhos, roupas caras.

"Certa tarde, voltando para casa, sinto um vento forte, vejo luzes ao meu redor, e perco a consciência por alguns momentos. Quando acordo, estou sentado no chão, e uma menina branca, com roupas brancas, cinto azul, flutua no ar. Ela sorri, não diz nada e desaparece.

"Saio correndo, interrompo o que minha mãe fazia naquele instante e conto a história. Ela fica assustadíssima, pede para que eu jamais repita o que acabo de dizer. Me explica – da melhor maneira que se pode explicar algo complicado a um garoto de oito anos – que tudo não passa de alucinação. Insisto que vi a menina, sou capaz de descrevê-la em detalhes. Acrescento que não tive medo, e voltei rápido porque queria que ela soubesse logo o que tinha acontecido.

"No dia seguinte, voltando da escola, procuro a menina, mas ela não está lá. Nada acontece durante uma semana, e começo a acreditar que minha mãe tem razão: devo ter dormido sem querer e sonhado com aquilo.

"Entretanto, desta vez indo para a escola de manhã bem cedo, vejo de novo a menina flutuando no ar, com a luz branca ao seu redor: não caí no chão, nem vi luzes. Ficamos algum tempo olhando um para o outro, ela sorri, eu sorrio de volta, pergunto seu nome, não obtenho resposta. Quando chego ao colégio, pergunto a meus colegas se alguma vez viram uma menina flutuando no ar. Todos riem.

"Durante a aula sou chamado na sala do diretor. Ele me explica que devo ter um problema mental – visões não existem: tudo no mundo é apenas a realidade que vemos, e a religião foi inventada para enganar o povo. Pergunto sobre a mesquita da cidade; diz que são apenas velhos supersticiosos que a freqüentam, gente ignorante, desocupada, sem energia para ajudar a reconstruir o mundo socialista. E faz uma ameaça: se eu tornar a repetir aquilo, serei expulso. Estou apavorado, peço que não diga nada a minha mãe; ele promete fazer isso se eu disser aos meus companheiros que inventei a história.

"Ele cumpre sua promessa, eu cumpro a minha. Meus amigos não dão muita importância ao fato, sequer me pedem para que eu os leve até onde se encontra a menina. Mas a partir deste dia, durante um mês inteiro, ela continua a aparecer. Às vezes eu desmaio antes, às vezes nada acontece. Não conversamos, apenas ficamos juntos pelo tempo que ela decide permanecer ali. Minha mãe começa a ficar inquieta, já não chego em casa sempre à mesma hora. Uma noite, me força a dizer o que estou fazendo entre a escola e a casa: eu repito a história da menina.

"Para minha surpresa, ao invés de repreender-me mais uma vez, ela diz que irá até o local comigo. No dia seguinte, acordamos cedo, chegamos ali, a menina aparece, mas ela não consegue vê-la. Minha mãe pede que lhe pergunte sobre meu pai. Não entendo a pergunta, mas faço o que ela sugere: e então, pela primeira vez, escuto a 'voz'. A menina não mexe seus lábios, mas sei que está falando comigo: diz que meu pai está ótimo, nos protege, e o sofrimento que teve durante o tempo que passou na Terra está sendo recompensado agora. Sugere que eu comente com minha mãe a história do aquecedor. Repito o que ouvi, ela começa a chorar, diz que a coisa que meu pai mais gostava na vida era ter um aquecedor ao seu lado, por causa do tempo que passou na guerra. A menina pede que, da próxima vez que passe por ali, amarre em um pequeno arbusto uma fita de tecido, com um pedido.

"As visões acontecem durante um ano inteiro. Minha mãe comenta com suas amigas de confiança, que comentam com outras amigas, e agora o pequeno arbusto está cheio de fitas amarradas. Tudo é feito no maior segredo: as mulheres perguntam por seus entes queridos que desapareceram, eu escuto as respostas da 'voz' e transmito as mensagens. Na maioria das vezes, todos estão bem – apenas em dois casos a menina 'pede' que o grupo vá até uma colina próxima e, no momento do sol nascer, faça uma oração sem palavras pela alma destas pessoas. As pessoas me contam que às vezes entro em transe, caio no chão, digo coisas sem sentido – nunca consigo me lembrar. Sei apenas quando o transe se aproxima: noto um vento quente e vejo bolas de luzes ao meu redor.

"Um dia, quando estou levando um grupo ao encontro da menina, somos impedidos por uma barreira de policiais. As mulheres protestam, gritam, mas não conseguimos passar. Sou escoltado até a escola, onde o diretor me diz que acabo de ser expulso por provocar rebelião e promover a superstição.

"Na volta, vejo o arbusto destruído, as fitas espalhadas pelo chão. Sento-me ali, sozinho e chorando, porque aqueles tinham sido os dias mais felizes da minha vida. Neste momento, a menina torna a aparecer. Diz que não me preocupe, que tudo estava programado, inclusive a destruição do arbusto. E que, a partir daquele momento, ela irá me acompanhar pelo resto de meus dias e me dirá sempre o que devo fazer."

– Ela nunca lhe disse seu nome? – pergunta um dos mendigos.
– Jamais. Não tem importância: eu sei quando ela fala comigo.
– Poderíamos saber agora alguma coisa sobre nossos mortos?
– Não. Isso aconteceu apenas naquela época, agora minha missão é outra. Posso continuar a história?
– Deve continuar – digo eu. – Mas antes quero que saiba uma coisa. No sudoeste da França, existe um lugar chamado Lourdes; há muito tempo, uma pastora viu uma menina que parece corresponder à sua visão.
– Você está enganado – comenta um velho mendigo, com uma perna de metal. – A tal pastora, que se chamava Bernadette, viu a Virgem Maria.
– Como escrevi um livro a respeito das aparições, precisei estudar cuidadosamente o assunto – respondo. – Li tudo que foi publicado no final do século XIX, tive acesso aos muitos depoimentos de Bernadette para a polícia, a igreja, os estudiosos. Em momento algum ela afirma que viu uma mulher: insiste que era uma menina. Repetiu a mesma história pelo resto de sua vida, irritou-se profundamente com a estátua que foi colocada na gruta; diz que não tinha nenhuma semelhança à visão – ela tinha visto uma criança, e não uma senhora. Mesmo assim, a Igreja apropriou-se da história, das visões, do lugar, transformou a aparição na Mãe de Jesus, e a verdade foi esquecida; uma mentira repetida muitas vezes, termina convencendo todo mundo. A única diferença é que a tal "pequena garota" – como insistia Bernadette – disse seu nome.
– E qual era? – pergunta Mikhail.
– "Eu sou a Imaculada Conceição." O que não é um nome como Beatriz, Maria, Isabelle. Ela se descreve como um fato, um

evento, um acontecimento, que poderíamos traduzir por "eu sou o parto sem sexo". Por favor, continue sua história.

– Antes que ele continue a história, posso lhe perguntar uma coisa? – diz um mendigo que deve ter aproximadamente a minha idade. – Você acaba de dizer que escreveu um livro: qual o título?

– Escrevi muitos.

E digo o título do livro no qual menciono a história de Bernadette e sua visão.

– Então você é o marido da jornalista?

– Você é o marido de Esther? – uma mendiga, com roupas espalhafatosas, um chapéu verde e casaco púrpura, está com seus olhos arregalados.

Eu não sei o que responder.

– Por que ela não tem aparecido mais aqui? – comenta outro. – Espero que não tenha morrido! Vivia sempre em lugares perigosos, mais de uma vez eu lhe disse que não devia fazer isso! Olha só o que ela me deu!

E mostra o mesmo pedaço de tecido manchado de sangue: parte da camisa do soldado morto.

– Não morreu – eu respondo. – Mas me surpreende que ela tenha andado por aqui.

– Por quê? Porque somos diferentes?

– Você não entendeu: não estou julgando quem são. Estou surpreso, estou alegre em saber disso.

Mas a vodca para espantar o frio está fazendo efeito em todos nós.

– Você está sendo irônico – diz um homem forte, de cabelos longos e barba de muitos dias. – Saia daqui, já que deve acreditar que está em péssima companhia.

Acontece que eu também bebi, e isso me dá coragem.

– Quem são vocês? Que tipo de vida é essa que escolheram? Têm saúde, podem trabalhar, mas preferem ficar sem fazer nada!

– Somos gente que escolheu ficar de fora, entende? De fora desse mundo que está caindo aos pedaços, dessa gente que vive com medo de perder alguma coisa, dessas pessoas que passam pela rua como se tudo estivesse bem, quando tudo está mal, muito mal! Você também não mendiga? Não pede uma esmola para o seu patrão, para o proprietário do seu imóvel?

– Você não tem vergonha de estar desperdiçando sua vida?

– pergunta a mulher vestida de púrpura.

– Quem disse que estou desperdiçando minha vida? Faço o que quero!

O homem forte interferiu:

– E o que quer? Viver no topo do mundo? Quem lhe garante que a montanha é melhor que a planície? Acha que não sabemos viver, não é verdade? Pois sua mulher entendia que sabemos per-fei-ta-men-te o que desejamos da vida! Sabe o que desejamos? Paz! E tempo livre! E não sermos obrigados a seguir a moda – aqui fazemos nosso próprio figurino! Bebemos quando temos vontade, dormimos onde achamos melhor! Ninguém aqui escolheu a escravidão, e temos muito orgulho disso, embora vocês achem que somos uns coitados!

As vozes começaram a ficar agressivas. Mikhail interrompe:

– Querem ouvir o resto de minha história, ou desejam que nos retiremos agora?

– Ele está nos criticando! – comenta o da perna de metal. – Veio até aqui para nos julgar, como se fosse Deus!

Escutam-se alguns resmungos, alguém bate no meu ombro, ofereço um cigarro, a garrafa de vodca passa de novo pela minha mão. Os ânimos vão serenando pouco a pouco, eu continuo surpreso e chocado pelo fato daquelas pessoas conhecerem Esther

– pelo visto, conheciam melhor que eu mesmo, tinham ganho
um pedaço de roupa manchada de sangue.

Mikhail continua sua história:

– Já que não tinha onde estudar, e ainda era uma criança para
cuidar de cavalos, o orgulho de nossa região e de nosso país, vou
trabalhar como pastor. Na primeira semana, uma das ovelhas
morre, e corre o boato de que sou um menino amaldiçoado,
filho de um homem que tinha vindo de longe, prometera riquezas para minha mãe e terminara nos deixando sem nada. Apesar
dos comunistas garantirem que a religião era apenas uma maneira de dar falsas esperanças aos desesperados, embora todos ali
tivessem sido educados na certeza de que existe apenas a realidade, e tudo que nossos olhos não podem ver é apenas fruto da
imaginação humana, as antigas tradições da estepe permanecem
intocadas, passam de boca a boca através de gerações.

"Desde a destruição do arbusto, eu não posso mais ver a
menina, entretanto continuo escutando sua voz; peço que me
ajude a cuidar dos rebanhos, ela me diz para ter paciência, tempos difíceis iriam chegar, mas antes que eu faça 22 anos uma
mulher virá de longe e me levará para conhecer o mundo. Me
diz também que eu tinha uma missão a cumprir, e essa missão
era ajudar a espalhar a verdadeira energia do amor pela face
da Terra.

"O dono das ovelhas fica impressionado pelos boatos que
circulam cada vez com mais intensidade – e quem lhe conta,
quem tenta destruir minha vida são justamente as pessoas que a
menina tinha ajudado durante um ano. Um dia, resolve ir até o
escritório do partido comunista na aldeia ao lado, e descobre
que tanto eu como minha mãe somos considerados inimigos do
povo. Sou imediatamente despedido. Mas isso não afeta muito
nossa vida, já que minha mãe trabalha como bordadeira para

uma indústria na maior cidade da região, lá ninguém sabe que somos inimigos do povo e da classe operária, tudo que os diretores da fábrica desejam é que ela continue produzindo seus bordados do alvorecer ao anoitecer.

"Como tenho todo o tempo livre do mundo, ando pela estepe, acompanho os caçadores – que conhecem também minha história, mas me atribuem poderes mágicos, pois sempre encontram raposas quando estou por perto. Passo dias inteiros no museu do poeta, olhando suas coisas, lendo seus livros, escutando as pessoas que vinham ali repetir seus versos. De vez em quando sinto o vento, vejo as luzes, caio por terra – e nestes momentos a voz sempre me diz coisas bastante concretas, como os períodos de seca, as pestes com animais, a chegada de comerciantes. Eu não conto para ninguém, exceto para minha mãe, que cada vez fica mais aflita e preocupada comigo.

"Em uma destas ocasiões, quando um médico passa pela região, ela me leva para uma consulta; depois de ouvir atentamente minha história, tomar notas, olhar dentro de meus olhos com um aparelho, auscultar meu coração, martelar meu joelho, ele diagnostica um tipo de epilepsia. Diz que não é contagioso, os ataques vão diminuir com a idade.

"Eu sei que não se trata de uma doença; mas finjo acreditar, para deixar minha mãe tranqüila. O diretor do museu, que nota meu esforço desesperado para aprender alguma coisa, fica com pena e começa a substituir os mestres na escola: aprendo geografia, literatura. Aprendo a coisa que seria mais importante para mim no futuro: falar inglês. Uma tarde, a voz me pede para dizer ao diretor que em pouco tempo ele ocupará um cargo importante. Quando comento isso, tudo que escuto é um riso tímido e uma resposta direta: não há a menor possibilidade, porque jamais se alistou no partido comunista; é muçulmano convicto.

"Eu estou com 15 anos. Dois meses depois de nossa conversa, sinto que alguma coisa diferente está acontecendo na região: os antigos funcionários públicos, sempre tão arrogantes, estavam mais gentis que nunca, e me perguntavam se queria voltar a estudar. Grandes comboios de militares russos tomam o rumo da fronteira. Certa tarde, enquanto estudo na escrivaninha que tinha pertencido ao poeta, o diretor entra correndo, me olha com espanto e um certo desconforto: diz que a última coisa que podia acontecer no mundo – o colapso do regime comunista – estava ocorrendo com uma rapidez incrível. As antigas repúblicas soviéticas agora se transformavam em países independentes, as notícias que chegavam de Almaty falavam da formação de um novo governo, e ele tinha sido indicado para governar a província!

"Ao invés de abraçar-me e ficar contente, ele me pergunta como sabia que isso ia acontecer: escutara alguém falar alguma coisa? Tinha sido contratado pelo serviço secreto para espioná-lo, já que ele não pertencia ao partido? Ou – o que era pior que tudo – em algum momento de minha vida fizera um pacto com o diabo?

"Respondo que ele conhece minha história: as aparições da menina, a voz, os ataques que me permitiam escutar coisas que outras pessoas não sabiam. Ele disse que tudo isso não passa de doença; existia apenas um profeta, Mohammed, e tudo que tinha que ser dito já fora revelado. Mas apesar disso, continua ele, o demônio permanecia neste mundo, usando todo tipo de artifício – inclusive a pretensa capacidade de ver o futuro – para enganar os fracos e afastar as pessoas da verdadeira fé. Tinha me dado um emprego porque o Islã exige que os homens pratiquem a caridade, mas agora estava profundamente arrependido: ou eu era um instrumento do serviço secreto ou era um enviado do demônio.

"Sou despedido na mesma hora.

"Os tempos, que antes já não eram fáceis, passaram a ser mais difíceis ainda. A fábrica de tecidos para a qual minha mãe trabalha, e que antes pertencia ao governo, termina passando para as mãos de particulares – os novos donos têm outras idéias, reestruturam o projeto, e ela termina sendo despedida. Dois meses depois já não temos mais como nos sustentar, a única coisa que resta é deixar a aldeia onde passara toda a minha vida, e ir em busca de emprego.

"Meus avós se recusam a partir; preferem morrer de fome a deixar a terra onde tinham nascido e passado suas vidas. Eu e minha mãe vamos para Almaty, e conheço a primeira cidade grande: fico impressionado com os carros, os gigantescos edifícios, os anúncios luminosos, as escadas rolantes e – sobretudo – os elevadores. Mamãe consegue emprego de recepcionista em uma loja, e vou trabalhar como ajudante de mecânico em um posto de gasolina. Grande parte de nosso dinheiro é enviado para meus avós, mas sobra suficiente para comer, e ver coisas que jamais tinha visto: cinema, parque de diversões, jogos de futebol.

"Com a mudança de cidade, os ataques cessam, mas a voz e a presença da menina também desaparecem. Acho melhor assim, não sinto falta da amiga invisível que me acompanhava desde os oito anos de idade, estou fascinado com Almaty e ocupado em ganhar a vida; aprendo que, com um pouco de inteligência, poderei finalmente chegar a ser alguém importante. Até que certa noite de domingo, quando estou sentado perto da única janela de nosso pequeno apartamento, olhando o pequeno beco sem asfalto onde vivia, muito nervoso porque no dia anterior eu amassara um carro na hora de manobrá-lo dentro da garagem, com medo de ser despedido, tanto medo que não consegui comer o dia inteiro.

"E de repente sinto de novo o vento, vejo as luzes. Pelo que minha mãe contou depois, caí por terra, falei em uma língua estranha, e o transe pareceu durar mais do que o normal; lembro-me que foi neste momento que a voz me lembrou que tinha uma missão. Quando acordo, volto a sentir a presença, e, embora não veja nada, posso conversar com ela.

"Entretanto, aquilo não me interessa mais: ao mudar da aldeia, mudei também de mundo. Mesmo assim, indago qual é minha missão: a voz me responde que era a missão de todos os seres humanos, impregnar o mundo da energia do amor total. Pergunto a única coisa que realmente está me interessando no momento: o carro amassado e a reação do dono. Ela diz que não me preocupe – que fale a verdade, e ele saberá compreender.

"Trabalho por cinco anos no posto de gasolina. Termino fazendo amigos, arranjo as primeiras namoradas, descubro o sexo, participo de brigas de rua – enfim, vivo minha juventude da maneira mais normal possível. Tenho alguns ataques: no início meus amigos ficam surpreendidos, mas depois que invento que aquilo é o resultado de 'poderes superiores', eles passam a me respeitar. Me pedem ajuda, confessam seus problemas amorosos, as difíceis relações com a família, mas eu nada pergunto à voz – a experiência no arbusto havia me traumatizado muito, me fizera perceber que, quando ajudamos alguém, tudo que temos em troca é ingratidão.

"Se os amigos insistem, invento que pertenço a uma 'sociedade secreta' – a esta altura, depois de décadas de repressão religiosa, o misticismo e o esoterismo estão se tornando uma grande moda em Almaty. Vários livros são publicados sobre os tais 'poderes superiores', gurus e mestres começam a surgir da Índia e da China, existe uma grande variedade de cursos de aperfeiçoamento pessoal. Freqüento um e outro, me dou conta de que não aprendo nada, a única coisa na qual realmente confio é na voz, mas estou muito ocupado para prestar atenção no que está dizendo.

"Um dia, uma mulher, em uma caminhonete com tração nas quatro rodas, pára na garagem onde trabalho e pede que complete o tanque. Fala comigo em russo, com muito sotaque e muita dificuldade, e eu respondo em inglês. Ela parece aliviada e me pergunta se conheço algum intérprete, já que precisa viajar para o interior.

"No momento em que diz isso, a presença da menina preenche todo o lugar, e percebo que essa é a pessoa que esperei durante a minha vida inteira. Ali está minha saída, não posso perder a oportunidade: digo que posso fazer isso, se ela me permitir. A mulher responde que tenho um trabalho, e ela precisa de alguém mais velho, mais experiente, e livre para viajar. Digo que conheço todos os caminhos na estepe, nas montanhas, minto afirmando que aquele emprego é temporário. Imploro que me dê uma chance; com relutância, ela marca uma conversa no mais luxuoso hotel da cidade.

"Nos encontramos no salão; ela testa meus conhecimentos da língua, faz uma série de perguntas sobre a geografia da Ásia Central, quer saber quem sou e de onde venho. Está desconfiada, não diz exatamente o que faz, nem aonde quer ir. Eu procuro desempenhar meu papel da melhor maneira possível, mas vejo que ela não está convencida.

"E me surpreendo ao notar que, sem qualquer explicação, estou apaixonado por ela, alguém que conheço há apenas algumas horas. Controlo minha ansiedade e volto a confiar na voz; imploro a ajuda da menina invisível, peço que me ilumine, prometo que cumprirei a missão que me foi confiada se conseguir aquele emprego: ela me disse um dia que uma mulher virá me levar para longe daqui, a presença esteve ao meu lado quando ela parou para encher o seu tanque, preciso de uma resposta positiva.

"Depois do seu intenso questionário, acho que começo a ganhar sua confiança: ela me previne que o que pretende é completamente ilegal. Explica-me que é jornalista, que deseja fazer uma reportagem sobre bases americanas que estão sendo construídas em um país vizinho, para servir de apoio a uma guerra que está prestes a começar. Como teve seu visto negado, teremos que cruzar a fronteira a pé, por lugares não vigiados – seus contactos lhe deram um mapa e lhe mostraram por onde devemos passar, mas ela diz que não irá revelar nada disso até que estejamos longe de Almaty. Se ainda estiver disposto a acompanhá-la, devo estar no hotel daqui a dois dias, às 11 horas da manhã. Não me promete nada além de uma semana de salário, sem saber que eu tenho um emprego fixo, ganho o suficiente para ajudar minha mãe e meus avós, meu chefe confia em mim apesar de ter presenciado três ou quatro convulsões, ou 'ataques epiléticos', como ele se refere aos momentos em que estou em contacto com um mundo desconhecido.

"Antes de despedir-se, a mulher me diz seu nome – Esther – e me previne que, se eu resolver procurar a polícia e denunciá-la, ela será presa e deportada. Diz também que existem momentos na vida em que precisamos confiar cegamente na intuição, e está fazendo isso agora. Peço que não se preocupe, sinto-me tentado a comentar sobre a voz e a presença, mas prefiro ficar calado. Volto para casa, converso com minha mãe, afirmo que arranjei um novo emprego como intérprete, e ganharei mais dinheiro – embora precise me ausentar por algum tempo. Ela parece não se preocupar; tudo à minha volta está correndo como se estivesse planejado há muito tempo, e todos nós apenas aguardássemos o momento certo.

"Durmo mal, no dia seguinte estou mais cedo que de costume no posto de gasolina. Peço desculpas, repito que encontrei um novo emprego. Meu chefe diz que mais cedo ou mais tarde irão descobrir que sou uma pessoa doente, é muito arriscado deixar o certo pelo duvidoso – mas da mesma maneira que aconteceu com minha mãe, termina por concordar sem maiores problemas, como se a voz estivesse interferindo na vontade de cada uma das pessoas com quem tenho que falar aquele dia, facilitando minha vida, ajudando-me a dar o primeiro passo.

"Quando nos encontramos no hotel, eu lhe explico: se nos pegarem, tudo que pode acontecer com a senhora é ser deportada para seu país, mas eu terminarei sendo preso, talvez por muitos anos. Portanto, estou correndo um risco maior, deve ter confiança em mim. Ela parece entender o que estou dizendo, andamos por dois dias, um grupo de homens a está esperando do outro lado da fronteira, ela desaparece e volta pouco depois, frustrada, irritada. A guerra está prestes a estourar, todos os caminhos estão vigiados, é impossível seguir adiante sem ser presa como espiã.

"Começamos o caminho de volta. Esther, antes tão confiante em si mesma, agora parece triste e confusa. Para distraí-la, começo a recitar versos do poeta que vivia perto de minha aldeia, ao mesmo tempo que penso que daqui a 48 horas tudo estará terminado. Mas preciso confiar na voz, devo fazer tudo para que ela não parta tão subitamente como veio; talvez eu deva demonstrar que sempre a esperei, que ela é importante para mim.

"Naquela noite, depois de estendermos nossos sacos de dormir perto de uns rochedos, tento pegar sua mão. Ela a afasta carinhosamente, diz que é casada. Sei que dei um passo errado, agi sem pensar: como já não tenho mais nada a perder, falo das visões da infância, da missão de espalhar o amor, do diagnóstico do médico falando em epilepsia.

"Para minha surpresa, ela entende perfeitamente o que estou dizendo. Conta um pouco de sua vida, diz que ama seu marido, que ele também a ama, mas com o passar do tempo alguma coisa importante se perdeu, prefere estar longe a ver seu casamento se desfazendo aos poucos. Tinha tudo na vida, mas era infeliz; embora pudesse fingir para o resto da vida que esta infelicidade não existia, morre de medo de entrar em uma depressão, e jamais conseguir sair.

"Portanto, resolveu largar tudo e ir em busca de aventura, de coisas que não a deixassem pensar no amor que desmoronava; quanto mais se buscava, mais se perdia, e mais se sentia sozinha. Acha que tinha perdido para sempre o seu rumo, e a experiência que tínhamos acabado de viver lhe mostrava que estava errada, era melhor voltar para a sua rotina diária.

"Digo que podemos tentar outra trilha menos vigiada, conheço contrabandistas em Almaty que podem nos ajudar – mas ela me parece sem energia, sem vontade de continuar adiante.

"Neste momento a voz me pede que eu a consagre à Terra. Sem saber exatamente o que estou fazendo, levanto-me, abro a mochila, molho meus dedos no pequeno vidro de óleo que tínhamos levado para cozinhar, coloco a mão em sua testa, oro em silêncio, e no final peço que continue sua busca, porque ela é importante para todos nós. A voz me dizia, e eu repetia para ela, que a mudança de uma só pessoa significa a mudança de toda a raça humana. Ela me abraça, sinto que a Terra a está abençoando, ficamos assim, juntos, por horas seguidas.

"No final, pergunto se acredita no que lhe contei sobre a voz que escuto. Ela diz que sim e que não. Acredita que todos nós temos um poder que jamais utilizamos, e ao mesmo tempo pensa que eu entrei em contacto com este poder por causa de meus ataques epiléticos. Mas que podemos verificar isso juntos; pensava em entrevistar um nômade que vive ao norte de Almaty, e que todos diziam ter poderes mágicos; se eu quiser acompanhá-la, serei bem-vindo. Quando me diz seu nome, me dou conta que conheço o neto dele, e acho que isso vai facilitar tudo.

"Cruzamos Almaty, paramos apenas para encher o tanque de gasolina e comprar algumas provisões, seguimos em direção a um pequeno vilarejo perto de um lago artificial construído pelo regime soviético. Vou até onde o nômade vive, e mesmo dizendo a um de seus assistentes que conheço seu neto, temos que esperar muitas horas, existe uma multidão esperando sua vez para ouvir os conselhos daquele que consideram um santo.

"Finalmente, somos atendidos: ao traduzir a entrevista, e ao ler muitas vezes a reportagem quando foi publicada, aprendo várias coisas que desejava saber.

"Esther pergunta por que as pessoas são tristes.

"É simples, responde o velho. Elas estão presas à sua história pessoal. Todo mundo acredita que o objetivo desta vida é seguir um plano. Ninguém se pergunta se este plano é seu, ou foi criado por outra pessoa. Acumulam experiências, memórias, coisas, idéias dos outros, que é mais do que podem carregar. E portanto, esquecem seus sonhos."

"Esther comenta que muita gente lhe diz: 'você tem sorte, sabe o que quer da vida: pois eu não sei o que desejo fazer.'

"Claro que sabem, responde o nômade. Quantas pessoas a senhora conhece que vivem comentando: 'não fiz nada que desejava, mas isso é a realidade.' Se dizem que não fizeram o que desejavam, sabiam então o que queriam. Quanto à realidade, é apenas a história que os outros contaram a respeito do mundo, e de como devíamos nos comportar nele.

"E quantas dizem algo pior: 'estou contente porque sacrifico minha vida pelas pessoas que amo.'

"A senhora acha que as pessoas que nos amam desejam nos ver sofrendo por elas? A senhora acha que o amor é fonte de sofrimento?

"Para ser sincera, acho que sim.

"Pois não devia ser.

"Se esqueço a história que me contaram, esquecerei também coisas muito importantes que a vida me ensinou. Por que me esforcei para aprender tanto? Por que me esforcei para ter experiência, de modo a saber lidar com minha carreira, meu marido e minhas crises?

"Conhecimento acumulado serve para cozinhar, não gastar mais do que ganha, abrigar-se no inverno, respeitar alguns limites, saber para onde vão certas linhas de ônibus e trem. Entretanto, acredita que seus amores passados a ensinaram a amar melhor?

"Ensinaram-me a saber o que desejo.

"Não perguntei isso. Os seus amores passados a ensinaram a amar melhor o seu marido?

"Ao contrário. Para poder entregar-me completamente a ele, tive que esquecer as cicatrizes que outros homens deixaram. É disso que o senhor está falando?

"Para que a verdadeira energia do amor possa atravessar sua alma, ela tem que encontrá-la como se você tivesse acabado de nascer. Por que as pessoas são infelizes? Porque querem aprisionar esta energia, o que é impossível. Esquecer a história pessoal é manter este canal limpo, deixar que cada dia esta energia se manifeste como deseja, permitir-se ser guiada por ela.

"Muito romântico, mas muito difícil. Porque sempre esta energia está presa a muita coisa: compromissos, filhos, situação social...

"... e depois de algum tempo, desespero, medo, solidão, tentativa de controlar o incontrolável. Segundo a tradição das estepes, chamada Tengri, para viver com plenitude era preciso estar em constante movimento, e só assim cada dia era diferente do outro. Quando passavam pelas cidades, os nômades pensavam: 'coitadas das pessoas que vivem aqui, para elas tudo é igual.'

Possivelmente as pessoas da cidade olhavam os nômades e pensavam: 'coitados, não conseguem ter um lugar para viver.' Os nômades não tinham passado, apenas presente, e por causa disso sempre eram felizes – até que os governantes comunistas os obrigaram a parar de viajar, e os prenderam em fazendas coletivas. A partir daí, pouco a pouco começaram a acreditar na história que a sociedade dizia ser a certa. Hoje perderam sua força.

"Ninguém, hoje em dia, pode passar suas vidas viajando.

"Não podem viajar fisicamente. Mas podem fazer isso no plano espiritual. Ir cada vez mais longe, distanciar-se da história pessoal, daquilo que nos forçaram a ser.

"O que fazer para abandonar esta história que nos contaram?

"Repeti-la em voz alta, nos seus menores detalhes. E, à medida que contamos, nos despedimos do que já fomos e – você verá, se resolver tentar – abrimos espaço para um mundo novo, desconhecido. Repetiremos esta história antiga muitas vezes, até que ela já não seja importante para nós.

"Só isso?

"Falta um detalhe: à medida que os espaços vão sendo esvaziados, para evitar que nos causem um sentimento de vazio, é preciso preenchê-los rapidamente – mesmo que seja de maneira provisória.

"Como?

"Com histórias diferentes, experiências que não ousamos ter, ou que não queremos ter. Assim mudamos. Assim o amor cresce. E quando cresce o amor, crescemos com ele.

"Isso também significa que podemos perder coisas que são importantes.

"Jamais. As coisas importantes sempre ficam – o que vai embora são as coisas que julgávamos importantes, mas são inúteis – como o falso poder de controlar a energia do amor.

"O velho diz que ela já usou seu tempo, e precisa atender outras pessoas. Por mais que eu insista, ele mostra-se inflexível, mas sugere que Esther volte algum dia, e lhe ensinará mais.

"Esther fica em Almaty por mais uma semana, e promete voltar. Durante este tempo, eu conto minha história muitas vezes para ela, e ela me conta muitas vezes sua vida – e percebemos que o velho tem razão, alguma coisa está saindo de nós, estamos mais leves, embora não possamos dizer que estamos mais felizes.

"Mas o velho deu um conselho: preencher rápido o espaço vazio. Antes de partir, ela pergunta se não quero viajar para a França, para que possamos continuar o processo de esquecimento. Não tem com quem compartilhar isso, não pode falar com seu marido, não confia nas pessoas com quem trabalha; necessita de alguém de fora, de longe, que nunca participou de sua história pessoal até aquela data.

"Digo que sim – e só neste momento menciono a profecia da voz. Digo também que não sei falar a língua, e que minha experiência se resume a cuidar de ovelhas e de postos de gasolina.

"No aeroporto, pede que eu faça um curso intensivo de francês. Pergunto por que me convidou. Ela repete o que já havia me dito, confessa que tem medo do espaço que está abrindo à medida que esquece sua história pessoal, teme que tudo volte com mais intensidade do que antes, e aí já não conseguirá mais se libertar do seu passado. Pede que não me preocupe com passagem ou vistos, ela cuidará de tudo. Antes de passar pelo controle de passaporte, olha para mim sorrindo e diz que também estava me esperando, mesmo que não soubesse: aqueles dias tinham sido os mais alegres destes últimos três anos.

"Passo a trabalhar à noite, como guarda-costas em um clube de strip-tease, e durante o dia me dedico a aprender francês. Curiosamente, os ataques diminuem, mas a presença também se afasta. Comento com minha mãe que fui convidado para viajar, ela diz que sou muito ingênuo, esta mulher jamais tornará a dar notícias.

"Um ano depois, Esther aparece em Almaty: a guerra esperada já aconteceu, alguém já tinha publicado um artigo sobre as bases secretas americanas, mas a entrevista com o velho fizera muito sucesso, e agora queriam uma grande reportagem sobre o desaparecimento dos nômades. Além do mais, diz ela, faz tempo que não conto histórias para ninguém, estou de novo entrando em depressão.

"Eu a ajudo a entrar em contacto com as poucas tribos que ainda viajam, com a tradição Tengri, e com os feiticeiros locais. Estou falando francês fluentemente: durante um jantar, ela me dá os papéis do consulado para preencher, consegue o visto, compra o bilhete, e venho para Paris. Tanto ela como eu reparamos que, à medida que esvaziávamos nossas cabeças de histórias já velhas e vividas, um espaço novo era aberto, uma misteriosa alegria entrava, a intuição se desenvolvia, ficávamos mais corajosos, arriscávamos mais, fazíamos coisas que julgávamos erradas ou certas – mas fazíamos. Os dias eram mais intensos, custavam a passar.

"Chegando aqui, pergunto onde vou trabalhar, mas ela já tem seus planos: conseguiu com o dono de um bar que eu me apresentasse uma vez por semana ali, disse que em meu país existe uma espécie de espetáculo exótico, onde as pessoas falam de suas vidas e esvaziam suas cabeças.

"No início, é muito difícil fazer com que os poucos fregueses participem do jogo, mas os mais bêbados se entusiasmam, a história corre pelo quarteirão. 'Venha contar sua história velha, e descobrir uma história nova', diz o pequeno cartaz escrito à mão na vitrine, e as pessoas, sedentas de novidade, começam a aparecer.

"Certa noite, experimento algo estranho: não sou eu quem está no pequeno palco improvisado no canto do bar, é a presença. E em vez de contar as lendas de meu país, para logo em seguida sugerir que contassem suas histórias, eu transmito o que a voz me pede. No final, um dos espectadores estava chorando, e comenta detalhes íntimos do seu casamento com os estranhos ali presentes.

"A mesma coisa se repete na semana seguinte – a voz fala por mim, pede que as pessoas contem apenas histórias de desamor, e a energia no ar era tão diferente que os franceses, mesmo sendo discretos, começam a discutir em público seus assuntos pessoais. Também é a essa altura de minha vida que consigo controlar melhor os ataques: quando vejo luzes e sinto o vento, mas estou no palco, entro em transe, perco a consciência, sem que ninguém perceba. Só tenho as 'crises de epilepsia' em momentos de grande tensão nervosa.

"Outras pessoas se juntam ao grupo: três jovens da minha idade, que nada tinham para fazer, a não ser viajar pelo mundo – eram os nômades do mundo ocidental. Um casal de músicos do Casaquistão, que ouvira falar no 'sucesso' que estava fazendo um rapaz de sua terra, pede para participar do espetáculo, já que não consegue nenhum emprego. Incluímos instrumentos de percussão no encontro. O bar fica pequeno, conseguimos um espaço no restaurante onde agora nos apresentamos, mas que também já está ficando pequeno, porque quando as pessoas contam suas histórias, sentem mais coragem. São tocadas pela energia enquanto dançam, começam a mudar radicalmente, a tristeza vai desaparecendo de suas vidas, as aventuras recomeçam, o amor – que teoricamente seria ameaçado por tantas mudanças – fica mais sólido, elas recomendam nosso encontro aos seus amigos.

"Esther continua viajando para fazer seus artigos, mas vai assistir ao espetáculo sempre que está em Paris. Uma noite, me diz que o trabalho no restaurante não basta, atinge apenas pessoas que têm dinheiro para freqüentá-lo. Precisamos trabalhar com jovens. Onde estão estes jovens, pergunto? Caminhando, viajando, largaram tudo, vestem-se como mendigos ou personagens de filme de ficção científica.

"Diz também que os mendigos não têm história pessoal, por que não vamos até eles ver o que aprendemos? E foi assim que encontrei vocês aqui.

"Estas são as coisas que vivi. Vocês jamais perguntaram quem sou eu, o que faço, porque não lhes interessa. Mas hoje, por causa do escritor famoso que nos acompanha, resolvi contá-la."

– Mas você fala do seu passado – disse a mulher com casaco e chapéu que não combinavam. – Embora o velho nômade...

– O que é nômade? – interrompe alguém.

– Gente como nós – ela responde, orgulhosa de saber o significado da palavra. – Gente livre, que consegue viver apenas com o que consegue carregar.

Eu corrijo:

– Não é assim exatamente. Não são pobres.

– O que você sabe de pobreza? – De novo o homem alto, agressivo, e desta vez com mais vodca correndo em seu sangue, me olha diretamente nos olhos. – Acha que pobreza é não ter dinheiro? Acha que somos miseráveis, só porque estamos pedindo esmolas a gente como escritores ricos, casais que se sentem culpados, turistas que acham Paris uma cidade suja, jovens idealistas que pensam que podem salvar o mundo? Você é pobre – não controla seu tempo, não tem direito a fazer o que quer, é obrigado a seguir regras que não inventou e que não compreende.

De novo Mikhail interrompe a conversa.

– O que a senhora queria mesmo saber?

– Queria saber por que contou sua história, se o velho nômade disse para esquecê-la.

– Não é mais minha história: cada vez que falo das coisas que passei, sinto-me como se estivesse relatando algo completamente afastado de mim. Tudo que permanece no presente é a voz, a presença, a importância de cumprir a missão. Não sofro pelas dificuldades vividas – acho que foram elas que me ajudaram a ser quem sou agora. Sinto-me como deve sentir-se um guerreiro depois de haver passado por anos de treinamento: não se lembra dos detalhes de tudo que aprendeu, mas sabe dar o golpe na hora certa.

– E por que você e a jornalista sempre vinham nos visitar?

– Para alimentar-nos. Como disse o velho nômade na estepe, o mundo que conhecemos hoje é apenas uma história que nos contaram, mas essa não é a verdadeira história. A outra história inclui os dons, os poderes, a capacidade de ir muito mais além do que aquilo que conhecemos. Embora eu conviva com uma presença desde criança, e por um momento de minha vida fui inclusive capaz de vê-la, Esther mostrou-me que não estava sozinho. Apresentou-me a pessoas com dons especiais, como o de entortar talheres com a força do pensamento, ou fazer cirurgias usando canivetes enferrujados, sem anestesia, com o paciente sendo capaz de voltar a sair andando imediatamente após a operação.

"Eu ainda estou aprendendo a desenvolver meu potencial desconhecido, mas preciso de aliados, de gente que tampouco tenha uma história – como vocês."

Foi minha vez de sentir vontade de contar minha história para aqueles desconhecidos, começar a libertar-me do meu passado, mas já era tarde da noite, devia acordar cedo porque o médico iria retirar o colarinho ortopédico no dia seguinte.

Perguntei a Mikhail se ele queria uma carona, e ele disse que não, que precisava caminhar um pouco, porque naquela noite estava sentindo muitas saudades de Esther. Deixamos o grupo e nos dirigimos até uma avenida onde podia encontrar um táxi.

– Acho que aquela mulher tem razão – comentei. – Se você conta uma história, você não se liberta dela?

– Eu estou livre. Mas, ao fazer isso, você também entende – aí está o segredo – que algumas histórias foram interrompidas no meio. Estas histórias ficam mais presentes, e enquanto não encerramos um capítulo, não podemos partir para o próximo.

Lembrei-me que tinha lido um texto a respeito na Internet, que era atribuído a mim (embora eu jamais o tivesse escrito):

"Por isso é tão importante deixar certas coisas irem embora. Soltar. Desprender-se. As pessoas precisam entender que ninguém está jogando com cartas marcadas, às vezes ganhamos e às vezes perdemos. Não espere que devolvam algo, não espere que reconheçam seu esforço, que descubram seu gênio, que entendam seu amor. Encerrando ciclos. Não por causa do orgulho, por incapacidade ou por soberba, mas porque simplesmente aquilo já não se encaixa mais na sua vida. Feche a porta, mude o disco, limpe a casa, sacuda a poeira. Deixe de ser quem era, e se transforme em quem é."

Mas é melhor confirmar o que Mikhail está dizendo:

– O que são "histórias interrompidas"?

– Esther não está aqui. Em um determinado momento, não conseguiu levar adiante seu processo de esvaziar-se da infelicidade e permitir a volta da alegria. Por quê? Porque sua história, assim como a de milhões de pessoas, está presa à energia do amor. Não pode evoluir sozinha: ou deixa de amar ou espera que o seu amado a alcance.

"Nos casamentos fracassados, quando um dos dois pára de caminhar, o outro é forçado a fazer o mesmo. E enquanto espera, aparecem amantes, associações beneficentes, excesso de cuidado com os filhos, trabalho compulsivo etc. Seria muito mais fácil falar abertamente sobre o assunto, insistir, gritar: 'vamos em frente, estamos morrendo de tédio, de preocupação, de medo'."

– Você acaba de me dizer que Esther não consegue levar adiante o seu processo de libertar-se da tristeza por minha causa.

– Não disse isso: não acredito que uma pessoa possa culpar a outra, em nenhuma circunstância. Disse que ela tem a escolha de deixar de amá-lo ou fazê-lo ir ao seu encontro.

– É isso que ela está fazendo.

– Eu sei. Mas, se depender de mim, só iremos ao seu encontro quando a voz permitir.

–*P*ronto, o colarinho ortopédico está saindo de sua vida, e eu espero que nunca mais retorne. Por favor, tente evitar excessos de movimento, porque os músculos precisam se acostumar de novo a agir. Por sinal, e a moça das previsões?

– Que moça? Que previsões?

– Você não comentou comigo no hospital que alguém dissera ter ouvido uma voz dizendo que algo iria lhe acontecer?

– Não é uma moça. E você também comentou no hospital que iria se informar a respeito de epilepsia.

– Entrei em contacto com um especialista. Perguntei se conhecia casos semelhantes. Sua resposta me surpreendeu um pouco, mas deixe-me lembrar de novo que a medicina tem seus mistérios. Lembra-se da história do menino que sai de casa com cinco maçãs e volta com duas?

– Sim: pode ter perdido, dado de presente, custaram mais caro etc. Não se preocupe, sei que para nada existe uma resposta absoluta. Antes de começar, Joana D'Arc tinha epilepsia?

– Meu amigo a mencionou em nossa conversa. Joana D'Arc começou a escutar vozes com a idade de 13 anos. Seus depoimentos mostram que ela via luzes – o que é um sintoma de ataque. Segundo uma neurologista, Dra. Lydia Bayne, estas experiências extáticas da santa guerreira eram provocadas pelo que

chamamos de epilepsia musicogênica, causada por determinada música: no caso de Joana, era o som de sinos. O rapaz teve algum ataque epilético na sua frente?
– Sim.
– Havia alguma música?
– Não me recordo. E mesmo que houvesse, o barulho dos talheres e da conversa não nos deixaria escutar nada.
– Ele parecia tenso?
– Muito tenso.
– Esta é outra razão para as crises. O tema é mais antigo do que parece: já na Mesopotâmia, existem textos extremamente precisos sobre o que chamavam de "a doença da queda", seguida de convulsões. Nossos ancestrais pensavam que era provocada pela presença de demônios que invadiam o corpo de alguém: só muito mais tarde o grego Hipócrates iria relacionar as convulsões a um problema de disfunção cerebral. Mesmo assim, até hoje as pessoas epiléticas ainda são vítimas de preconceito.
– Sem dúvida: quando aconteceu, fiquei horrorizado.
– Quando você me falou da profecia, pedi que meu amigo concentrasse as suas buscas nesta área. Segundo ele, a maioria dos cientistas concorda que, embora muita gente conhecida tenha sofrido deste mal, ele não confere maiores ou menores poderes a ninguém. Mesmo assim, os famosos epiléticos terminaram fazendo com que as pessoas vissem uma "aura mística" em torno dos ataques.
– Famosos epiléticos como por exemplo...
– Napoleão, ou Alexandre o Grande, ou Dante. Precisei limitar a relação de nomes, já que o que lhe intrigava era a profecia do rapaz. Qual é o seu nome, por sinal?
– Você não o conhece e, como sempre que aparece para me ver, logo em seguida tem uma outra consulta, que tal continuar a explicação?

– Cientistas que estudam a Bíblia garantem que o apóstolo Paulo era epilético. Tomam como base o fato de que, na estrada de Damasco, ele viu uma luz brilhante ao seu lado, que o jogou no chão, o cegou, e o deixou incapaz de comer e beber por alguns dias. Em literatura médica, isso é considerado como "epilepsia do lóbulo temporal".

– Não creio que a Igreja esteja de acordo.

– Acho que nem eu estou de acordo, mas é o que diz a literatura médica. Existem, também, epiléticos que desenvolvem seu lado autodestrutivo, como foi o caso de Van Gogh: ele descrevia suas convulsões como "tempestades interiores". Em Saint-Remy, onde ficou internado, um dos enfermeiros presenciou um ataque.

– Pelo menos, conseguiu transformar, através de seus quadros, sua autodestruição em uma reconstrução do mundo.

– Há suspeitas de que Lewis Carroll tenha escrito *Alice no País das Maravilhas* para descrever suas próprias experiências com a doença. O relato no início do livro, quando Alice entra em um buraco negro, é familiar à maioria dos epiléticos. Em seu percurso através do País das Maravilhas, Alice vê muitas vezes coisas voando e sente seu corpo muito leve – outra descrição muito precisa dos efeitos do ataque.

– Então, parece que os epiléticos têm propensão à arte.

– De jeito nenhum: o que acontece é que, como artistas geralmente se tornam famosos, estes temas terminam se associando um ao outro. A literatura está cheia de exemplos de escritores com suspeita ou com diagnóstico confirmado: Molière, Edgar Allan Poe, Flaubert. Dostoievsky teve seu primeiro ataque com nove anos, e diz que isso o levava a momentos de grande paz com a vida e a momentos de grande depressão. Por favor, não fique impressionado, e não comece a achar que você também pode ser vítima disso depois do acidente. Não me lembro de nenhum caso de epilepsia provocado por uma motocicleta.

– Já disse que se trata de alguém que conheço.

– Será que este rapaz das previsões existe mesmo, ou você inventou tudo isso apenas porque acha que desmaiou quando desceu da calçada?

– Pelo contrário: detesto saber sintomas de doenças. Cada vez que leio um livro de medicina, começo a sentir tudo que está ali descrito.

– Vou lhe dizer uma coisa, mas por favor não me entenda mal: acho que este acidente lhe trouxe um enorme benefício. Você parece mais calmo, menos obsessivo. Claro, estar perto da morte sempre nos ajuda a viver melhor: foi isso que sua mulher me disse, quando me deu um tecido manchado de sangue, que trago sempre comigo – embora, como médico, eu esteja perto da morte todos os dias.

– Ela lhe explicou por que lhe deu este tecido?

– Usou palavras generosas para descrever aquilo que faço por profissão. Disse que eu era capaz de combinar a técnica com a intuição, a disciplina com o amor. Contou-me que um soldado, antes de morrer, pediu que pegasse sua camisa, cortasse em pedaços e dividisse com as pessoas que estavam sinceramente tentando mostrar o mundo tal como é. Imagino que você, com os seus livros, também tenha parte deste tecido.

– Não tenho.

– E sabe por quê?

– Sei. Ou melhor dizendo, estou descobrindo agora.

– E já que além de seu médico, também sou seu amigo, você permite que lhe dê um conselho? Se esse rapaz epilético disse que pode adivinhar o futuro, ele não entende nada de medicina.

Z agreb, Croácia.
6:30 da manhã.
Eu e Marie estamos diante de uma fonte congelada,
a primavera este ano resolveu não acontecer – pelo visto iremos
do inverno diretamente para o verão. No meio da fonte, uma
coluna com uma estátua em cima.

Passei a tarde dando entrevistas, e já não agüento mais falar
do novo livro. As perguntas dos jornalistas são as de sempre: se
minha mulher leu o livro (respondo que não sei), se acho que
sou injustiçado pela crítica (o quê?), se o fato de escrever *Tempo
de rasgar, tempo de costurar* causou algum tipo de choque no
meu público, já que revelo bastante minha vida íntima (um escritor só pode escrever sobre sua vida), se o livro será transformado em filme (repito pela milésima vez que o filme se passa na
cabeça do leitor, proibi a venda dos direitos de todos os títulos),
o que penso do amor, por que escrevi sobre amor, o que fazer
para ser feliz no amor, amor, amor...

Terminadas as entrevistas, o jantar com os editores – faz parte do ritual. A mesa sempre com pessoas importantes do lugar,
que me interrompem cada vez que coloco o garfo na boca, geralmente perguntando a mesma coisa: "de onde vem sua inspiração?" Tento comer, mas preciso ser simpático, conversar, cum-

prir meu papel de celebridade, contar algumas histórias interessantes, deixar uma boa impressão. Sei que o editor é um herói, nunca sabe se um livro vai dar certo, podia estar vendendo bananas ou sabonetes – é mais seguro, não possuem vaidade, egos desenvolvidos, não reclamam se a promoção está malfeita ou se não tem livro em determinada livraria.

Depois do jantar, o roteiro de sempre: querem me mostrar tudo – monumentos, locais históricos, os bares da moda. Sempre com um guia que conhece absolutamente tudo, enche minha cabeça de informações, preciso fazer um ar de quem está prestando muita atenção, perguntar algo de vez em quando, para demonstrar meu interesse. Conheço quase todos os monumentos, museus, locais históricos de todas as muitas cidades que visitei para promover meu trabalho – e não me lembro de absolutamente nada. Tudo que fica são as coisas inesperadas, os encontros com os leitores, os bares, as ruas que caminhei por acaso, dobrei a esquina e de repente vi algo maravilhoso.

Um dia pretendo escrever um guia de viagem com apenas mapas, endereços de hotéis, e o resto das páginas em branco: as pessoas assim terão que fazer seu roteiro único, descobrir por si mesmas os restaurantes, monumentos e as coisas magníficas que cada cidade tem, mas que jamais são comentadas porque "a história que nos contaram" não as incluiu no item "visitas obrigatórias".

Já estive antes em Zagreb. E esta fonte – embora não apareça em nenhum guia turístico local – tem muito mais importância do que qualquer outra coisa que vi aqui: porque é linda, eu a descobri por acaso, e está ligada a uma história de vida. Há muitos anos, quando era um jovem correndo o mundo em busca de aventura, sentei-me no lugar onde estou agora com um pintor croata, que viajara comigo grande parte do caminho. Eu iria continuar em direção à Turquia, ele voltava para casa. Nos despedimos neste lugar, bebendo duas garrafas de vinho, falando de tudo que tinha acontecido enquanto estávamos juntos – religião, mulheres, música, preço dos hotéis, drogas. Falamos de tudo, menos de amor, porque amávamos sem precisar comentar sobre o assunto.

Depois que o pintor voltou para a sua casa eu conheci uma menina, namoramos por três dias, nos amamos com toda a intensidade possível, já que tanto eu como ela sabíamos que tudo ia durar muito pouco. Ela me fez entender a alma daquele povo, e eu jamais me esqueci, como jamais esqueci a fonte e a despedida do meu companheiro de viagem.

Por causa disso, depois das entrevistas, dos autógrafos, do jantar, da visita aos monumentos e locais históricos, eu enlouqueci meus editores, pedindo para que me levassem a tal fonte. Perguntaram onde era: não sabia, como tampouco sabia que Zagreb tinha tantas fontes. Depois de quase uma hora de buscas, finalmente conseguimos encontrá-la. Pedi uma garrafa de vinho, nos despedimos de todos, sentei-me com Marie, e ficamos calados, abraçados, bebendo e esperando o nascer do sol.

– Você está cada dia mais contente – ela comenta, com a cabeça em meu ombro.

– Porque estou tentando esquecer quem sou. Melhor dizendo, não preciso carregar o peso de toda a minha história nas costas.

Conto para ela a conversa com Mikhail com o nômade.

– Com os atores se passa algo parecido – comenta. – A cada novo papel, temos que deixar de ser quem somos, para viver o personagem. Mas, no final, terminamos confusos e neuróticos. Você acha mesmo uma boa idéia deixar de lado a sua história pessoal?

– Você não disse que estou melhor?

– Acho que está menos egoísta. Gostei de ter deixado todo mundo louco, até encontrar esta fonte: mas isso é contrário ao que acaba de me contar, ela faz parte de seu passado.

– É um símbolo para mim. Mas eu não carrego esta fonte comigo, não fico pensando nela, não tirei fotos para mostrar para amigos, não fico com saudades do pintor que partiu ou da menina pela qual me apaixonei. Que bom que tenha voltado aqui uma segunda vez – mas se isso não tivesse ocorrido, em nada mudava o que vivi.

– Entendo o que você está dizendo.

– Fico contente.

– Fico triste; porque isso me faz pensar que você vai partir. Sabia disso desde o momento em que nos encontramos pela primeira vez, mesmo assim é difícil: já me acostumei.

– É esse o problema: acostumar-se.

– Mas é humano.

– Foi por causa disso que a mulher com quem casei transformou-se no Zahir. Até o dia do acidente, me convencera que só poderia ser feliz com ela, e não porque a amasse mais que tudo e todos no mundo.

"Mas porque pensava que só ela me entendia, sabia os meus gostos, minhas manias, minha maneira de ver a vida. Era grato pelo que tinha feito por mim, achava que devia ser grata pelo que tinha feito por ela. Estava acostumado a olhar o mundo usando seus olhos. Lembra da história dos dois homens que saem do incêndio, e um está com o rosto coberto de cinzas?

Ela retirou a cabeça de meu ombro; notei que estava com os olhos cheios d'água.

– Pois o mundo era isso para mim – continuei. – Um reflexo da beleza de Esther. Isso é amor? Ou isso é uma dependência?

– Não sei. Acho que amor e dependência andam juntos.

– Pode ser. Mas suponhamos que, ao invés de escrever *Tempo de rasgar, tempo de costurar,* que na verdade é apenas uma carta para uma mulher que está longe, eu tivesse escolhido um outro roteiro, como, por exemplo:

"Marido e mulher estão juntos há dez anos. Faziam amor todos os dias, agora fazem amor apenas uma vez por semana, mas isso afinal não é tão importante: existe cumplicidade, apoio mútuo, companheirismo. Ele fica triste quando precisa jantar sozinho porque ela teve que ficar mais tempo no emprego. Ela lamenta quando ele viaja, mas entende que isso faz parte de sua profissão. Sentem que alguma coisa começa a faltar, mas são adultos, atingiram a maturidade, sabem o quanto é importante manter uma relação estável – nem que seja em nome dos filhos. Dedicam-se cada vez mais ao trabalho e às crianças, pensam cada vez menos no casamento – que aparentemente vai muito bem, não existe outro homem ou outra mulher.

"Notam que algo está errado. Não conseguem localizar o problema. À medida que o tempo passa, vão ficando cada vez mais dependentes um do outro, afinal a idade está chegando, as oportunidades de uma nova vida estão partindo. Procuram ocupar-se cada vez mais, leitura, bordados, televisão, amigos – mas sempre existe a conversa no jantar, ou a conversa depois do jantar. Ele fica irritado com facilidade, ela fica mais silenciosa do que de costume. Um sabe que o outro está cada vez mais distante, e não entende o porquê. Chegam à conclusão que casamento é assim mesmo, mas se recusam a conversar com seus amigos, passam a imagem de um casal feliz, que se apóia mutuamente, tem os mesmos interesses. Surge um amante aqui, uma amante ali, nada de sério, claro. O importante, o necessário, o definitivo é agir como se nada estivesse acontecendo, é tarde demais para mudar."

– Conheço esta história, embora nunca a tenha vivido. E acho que passamos a vida sendo treinados para aturar situações como essa.

Eu tiro o sobretudo e subo na amurada da fonte. Ela pergunta o que vou fazer.

– Andar até a coluna.

– É loucura. Já estamos na primavera, a camada de gelo deve estar muito fina.

– Preciso andar até lá.

Coloco o pé, a capa de gelo move-se inteira, mas não quebra. Enquanto olhava o nascer do sol, fizera uma espécie de jogo com Deus: se eu conseguisse chegar à coluna e voltar sem que o gelo quebrasse, isso seria um sinal de que estava no caminho certo, de que Sua mão me estava guiando por onde devia andar.

– Você vai cair na água.

– E daí? O máximo que me arrisco é ficar congelado, mas o hotel não está longe, e o sofrimento não vai durar.

Coloco o outro pé: agora já estou inteiramente dentro da fonte, o gelo descola nas bordas, um pouco de água sobe a superfície, mas ele não quebra. Vou andando em direção à coluna, são apenas quatro metros se considerarmos ida e volta, e tudo que arrisco é a possibilidade de um banho frio. Entretanto, nada de pensar no que pode acontecer: já dei o primeiro passo, preciso ir até o final.

Vou caminhando, chego à coluna, toco-a com minha mão, escuto tudo estalar, mas ainda estou na superfície. Meu primeiro instinto é sair correndo, entretanto algo me diz que, se fizer isso, os passos se tornarão mais firmes, pesados, e eu cairei na água. Tenho que voltar lentamente, no mesmo ritmo.

O sol está nascendo diante de mim, me deixa um pouco cego, vejo apenas a silhueta de Marie e os contornos dos edifí-

cios e das árvores. A camada de gelo se move cada vez mais, a
água continua brotando das bordas, e inundando a superfície,
mas eu sei – eu tenho absoluta certeza – que vou conseguir chegar. Porque eu estou em comunhão com o dia, com minhas
escolhas, conheço os limites da água congelada, sei como lidar
com ela, pedir que me ajude, que não me deixe cair. Começo a
entrar em uma espécie de transe, de euforia – sou de novo uma
criança, fazendo coisas proibidas, erradas, mas que me dão um
imenso prazer. Que alegria! Pactos loucos com Deus, do tipo
"se eu conseguir isso, vai acontecer aquilo", sinais provocados
não pelo que vem do exterior, mas pelo instinto, pela capacidade de esquecer as antigas regras e criar novas situações.

Agradeço por ter encontrado Mikhail, o epilético que pensa
que escuta vozes. Fui ao seu encontro em busca de minha
mulher, e terminei vendo que eu tinha me transformado em apenas um pálido reflexo de mim mesmo. Esther continua sendo
importante? Penso que sim, foi seu amor que mudou minha
vida certa vez, e torna a me transformar agora. A minha história
estava velha, cada vez mais pesada de carregar, cada vez mais
séria para que eu me permitisse riscos como o de andar em uma
fonte, fazendo uma aposta com Deus, forçando um sinal. Havia
me esquecido que era preciso refazer sempre o caminho de
Santiago, jogar fora a bagagem desnecessária, manter apenas
aquilo que é necessário para viver cada dia. Deixar que a energia do amor circule livremente, de fora para dentro, de dentro
para fora.

Um novo estalo, uma rachadura aparece – entretanto sei
que vou conseguir, porque estou leve, levíssimo, podia até mesmo caminhar em uma nuvem, e não cairia na terra. Não carrego
o peso da fama, das histórias contadas, dos roteiros a seguir –
estou transparente, deixando que os raios de sol atravessem meu

corpo e iluminem minha alma. Percebo que ainda existem muitas zonas escuras em mim, mas elas serão limpas aos poucos, com perseverança e coragem.

Mais um passo, e a lembrança de um envelope na minha mesa. Em breve vou abri-lo e, em vez de caminhar no gelo, tomarei o caminho que me leva a Esther. Já não é porque a desejo ao meu lado, ela está livre para continuar onde se encontra. Já não é porque sonho dia e noite com o Zahir; a obsessão amorosa, destruidora, parece ter ido embora. Já não é porque me acostumei com meu passado e desejo ardentemente voltar a ele.

Outro passo, outro estalo, mas a borda salvadora da fonte está chegando.

Abrirei o envelope e irei ao seu encontro, porque – como diz Mikhail, o epilético, o vidente, o guru do restaurante armênio – esta história precisa terminar. Então, quando tudo tiver sido contado e recontado muitas vezes, quando os lugares que passei, os momentos que vivi, os passos que dei por causa dela se transformarem em lembranças distantes, restará apenas, simplesmente, o amor puro. Não sentirei que estou "devendo" algo, não acharei que preciso dela porque só ela é capaz de me entender, porque estou acostumado, porque conhece meus vícios, minhas virtudes, as torradas que gosto de comer antes de dormir, a televisão nos noticiários internacionais quando acordo, as caminhadas obrigatórias todas as manhãs, os livros sobre a prática do tiro com arco, as horas passadas diante da tela do computador, a raiva que sinto quando a empregada chama várias vezes dizendo que a comida está na mesa.

Tudo isso irá embora. Fica o amor que move o céu, as estrelas, os homens, as flores, os insetos, e obriga todos a caminhar pela superfície perigosa do gelo, nos enche de alegria e de medo, mas que dá um sentido a tudo.

Toco na murada de pedra, uma mão se estende, eu a seguro, Marie ajuda a equilibrar-me e descer.

– Tenho orgulho de você. Eu jamais faria isso.

– Acho que, algum tempo atrás, eu tampouco faria – parece infantil, irresponsável, desnecessário, sem nenhuma razão prática. Mas estou renascendo, preciso arriscar coisas novas.

– A luz da manhã lhe faz bem: você fala como se fosse um sábio.

– Sábios não fazem o que acabo de fazer.

*P*reciso escrever um texto importante para uma revista que tem um grande crédito comigo no Banco de Favores. Tenho centenas, milhares de idéias, mas não sei qual delas merece meu esforço, minha concentração, meu sangue.

Não é a primeira vez que isso acontece, mas acho que já falei tudo de importante que precisava, estou perdendo a memória, esquecendo-me de quem sou.

Vou até a janela, olho a rua, tento me convencer de que sou um homem profissionalmente realizado, nada mais a provar, posso retirar-me para uma casa nas montanhas, passar o resto da vida lendo, caminhando, conversando sobre gastronomia e sobre o tempo. Digo e repito que já consegui o que quase nenhum escritor conseguiu – ser publicado em quase todas as línguas. Por que incomodar-me com um simples texto para uma revista, por mais importante que ela seja?

Por causa do Banco de Favores. Então preciso realmente escrever, mas o que vou dizer para as pessoas? Que elas precisam esquecer as histórias que lhes contaram, e arriscar um pouco mais?

Todas vão responder: "eu sou independente, faço aquilo que escolhi."

Que devem deixar circular livremente a energia do amor? Responderão: "eu amo. Eu amo cada vez mais", como se pudessem medir o amor como medimos a distância entre os trilhos de estradas de ferro, a altura de prédios ou a quantidade de fermento necessária para se fazer um bolo.

Volto para a mesa. O envelope que Mikhail deixou está aberto, sei onde Esther se encontra, preciso saber como chegar lá. Telefono para ele e conto a história da fonte. Ele adora. Pergunto o que vai fazer hoje à noite, responde que irá sair com Lucrecia, sua namorada. Posso convidá-los para jantar? Hoje não, mas na próxima semana, se quiser, sairemos juntos com seus amigos.

Digo que na semana que vem tenho uma palestra nos Estados Unidos. Não tem pressa, responde, esperamos então duas semanas.

"Você deve ter ouvido uma voz que lhe fez caminhar pelo gelo", diz.

"Não ouvi nenhuma voz."

"Então por que fez isso?"

"Porque senti que era para fazer."

"Bem, isso é outra maneira de escutar a voz."

" Fiz uma aposta. Se conseguisse atravessar o gelo, é porque estava pronto. E penso que estou pronto."

"Então, a voz lhe deu o sinal que precisava."

"E a voz lhe disse alguma coisa a respeito?"

"Não. Mas não precisa: quando estávamos na margem do Sena, quando eu disse que ela nos avisava que o momento não havia chegado, entendi também que ela lhe diria a hora certa."

"Já disse que não ouvi nenhuma voz."

"É o que você pensa. É o que todos pensam. E no entanto, pelo que a presença sempre me diz, todos escutam vozes o tempo inteiro. São elas que nos fazem entender quando estamos diante de um sinal, você compreende?"

Resolvo não discutir. Tudo que preciso são detalhes técnicos: saber onde alugar um carro, quanto tempo de viagem, como localizar a casa, porque o que tenho diante de mim, além do mapa, são uma série de indicações imprecisas – seguir pela margem de tal lago, procurar uma placa de uma empresa, dobrar à direita etc. Talvez ele conheça alguém que possa me ajudar.

Marcamos o próximo encontro, Mikhail me pede que vá vestido da maneira mais discreta possível – a "tribo" irá peregrinar por Paris.

Pergunto quem é a tribo. "São as pessoas que trabalham comigo no restaurante", responde, sem entrar em detalhes. Pergunto se deseja alguma coisa da América, ele pede que lhe traga determinado remédio para azia. Acho que existem coisas muito mais interessantes, mas anoto seu pedido.

E o artigo?

Volto para a mesa, penso no que escrever, olho de novo o envelope aberto, concluo que não me surpreendeu o que encontrei lá dentro. No fundo, depois de alguns encontros com Mikhail, já esperava mesmo por isso.

Esther está na estepe, em uma pequena aldeia na Ásia Central: mais precisamente, em uma aldeia no Casaquistão.

Já não tenho mais nenhuma pressa: continuo revendo minha história, que narro em detalhes, compulsivamente, para Marie; ela resolveu fazer o mesmo, fico surpreso com as coisas que me conta, mas parece que o processo está dando resultados – está mais segura, menos ansiosa.

Não sei por que quero tanto encontrar Esther, já que meu amor por ela passou a iluminar minha vida, ensinar-me coisas novas, e isso basta. Mas lembro-me do que Mikhail disse – "a história precisa ser terminada" – e resolvo seguir adiante. Sei que vou descobrir o momento em que o gelo de nosso casamento quebrou, e nós continuamos a caminhar pela água fria, como se nada tivesse acontecido. Sei que vou descobrir isso antes de chegar a tal aldeia, para fechar um ciclo, ou para fazê-lo maior ainda.

O artigo! Será que Esther voltou a ser o Zahir, e não me deixa concentrar-me em mais nada?

Nada disso: quando preciso fazer algo urgente, que exige energia criativa, é esse mesmo o meu processo de trabalho – chegar quase à histeria, resolver desistir, e então o texto se manifesta. Já tentei agir de maneira diferente, fazer tudo com grande antecedência, mas parece que a imaginação só funciona desta maneira – com uma gigantesca pressão em cima. Não posso desrespeitar o Banco de Favores, devo enviar três páginas escritas sobre – imagine só! – os problemas da relação entre homem e mulher. Logo eu! Mas os editores acham que quem escreveu *Tempo de rasgar, tempo de costurar* deve entender muito bem da alma humana.

Tento conectar-me na Internet, que não está funcionando: desde o dia em que destruí a conexão, nunca mais voltou a ser a mesma. Já chamei vários técnicos, que, quando resolviam aparecer, encontravam o computador às mil maravilhas. Perguntavam do que eu estava reclamando, testavam por meia hora, mudavam configurações, garantiam que o problema não era comigo, mas com o fornecedor de serviços. Eu me deixava convencer, afinal tudo estava em perfeita ordem, sentia-me ridículo por ter pedido ajuda. Duas ou três horas se passam, um novo colapso da máquina e da conexão. Agora, depois de meses de desgaste físico e psicológico, aceito que a tecnologia é mais forte e mais poderosa do que eu: trabalha quando quiser, e se não estiver com vontade, melhor ler um jornal, dar um passeio, esperar que mude o humor

dos cabos, das ligações telefônicas, e ela resolva funcionar novamente. Não sou seu dono, descobri que tem vida própria.

Insisto mais duas ou três vezes, e sei – por experiência própria – que é melhor deixar a pesquisa de lado. A Internet, a
maior biblioteca do mundo, está neste momento com suas portas fechadas para mim. Que tal ler revistas, tentando buscar inspiração? Pego um exemplar na correspondência que chegou
naquele dia, vejo uma estranha entrevista, de uma mulher que
acaba de lançar um livro sobre – imagine o quê? – amor. O
assunto parece me perseguir por todos os lados.

O jornalista pergunta se a única maneira do ser humano
atingir a felicidade é encontrando a pessoa amada. A mulher diz
que não:

*"A idéia de que o amor leva à felicidade é uma invenção
moderna, do final do século XVII. A partir daí, a gente aprende a acreditar que o amor deve durar para sempre e que o casamento é o melhor lugar para exercê-lo. No passado, não havia
tanto otimismo quanto à longevidade da paixão. Romeu e
Julieta não é uma história feliz, é uma tragédia. Nas últimas
décadas, a expectativa quanto ao casamento como o caminho
para a realização pessoal cresceu muito. A decepção e a insatis-
fação cresceram junto."*

É uma opinião bastante corajosa, mas não serve para o meu
artigo – principalmente porque não concordo em absoluto com
o que está dizendo. Procuro na estante um livro que não tenha
nada a ver com as relações entre homens e mulheres: *Práticas
mágicas no Norte do México*. Preciso refrescar a cabeça, relaxar,
já que a obsessão não irá me ajudar a escrever o tal artigo.

Começo a folheá-lo e, de repente, leio algo que me surpreende:

O *"acomodador"*: *existe sempre um evento em nossas vidas que é responsável pelo fato de termos parado de progredir. Um trauma, uma derrota especialmente amarga, uma desilusão amorosa, até mesmo uma vitória que não entendemos direito, termina fazendo com que nos acovardemos e não sigamos adiante. O feiticeiro, no processo de crescimento de seus poderes ocultos, precisa primeiro livrar-se deste "ponto acomodador", e para isso tem que rever sua vida, e descobrir onde está.*

O acomodador! Isso combinava com meu aprendizado de arco-e-flecha – o único esporte que me atraía – onde o mestre diz que cada tiro não pode ser jamais repetido, não adianta tentar aprender com os acertos ou erros. O que interessa é repetir centenas, milhares de vezes, até que nos livremos da idéia de acertar no alvo, e nos transformemos na flecha, no arco e no objetivo. Neste momento, a energia da "coisa" (meu mestre de kyudo, o tiro com arco japonês que eu praticava, jamais utilizava a palavra "Deus") guia os nossos movimentos, e começamos a soltar a flecha não quando desejamos, mas quando a "coisa" acha que chegou a hora.

O acomodador. Uma outra parte da minha história pessoal começa a se mostrar, como seria bom que Marie estivesse aqui neste momento! Preciso falar de mim, da minha infância, contar que, quando era pequeno, sempre brigava e sempre batia nos outros, porque era o mais velho da turma. Um dia levei uma surra do meu primo, fiquei convencido de que a partir daí nunca mais ia conseguir ganhar qualquer briga, e desde então evitei qualquer confronto físico, embora muitas vezes tenha passado por covarde, deixando-me humilhar diante de namoradas e amigos.

O acomodador. Tentei durante dois anos aprender a tocar violão: progredi muito no começo, até que chegou um ponto onde não consegui avançar mais – porque descobri que outros aprendiam mais rápido do que eu, senti que era medíocre, resolvi não passar vergonha, decidi que aquilo não me interessava mais. O mesmo aconteceu com jogo de sinuca, futebol, corrida de bicicleta: aprendia o bastante para fazer tudo razoavelmente, mas chegava um momento em que não conseguia seguir adiante.

Por quê?

Porque a história que nos foi contada diz que em um determinado momento de nossas vidas "chegamos ao nosso limite".

Mais uma vez eu me lembrava da minha luta para negar meu destino de escritor, e de como Esther jamais havia aceitado que o acomodador ditasse as regras do meu sonho. Aquele simples parágrafo que acabara de ler combinava com a idéia de esquecer a história pessoal, e ficar apenas com o instinto desenvolvido pelas tragédias e dificuldades que atravessamos: assim agiam os feiticeiros no México, assim pregavam os nômades nas estepes da Ásia Central.

O acomodador: *"existe sempre um evento em nossas vidas que é responsável pelo fato de termos parado de progredir".*

Isso combinava, em gênero, número e grau, com os casamentos em geral, e com minha relação com Esther em particular.

Sim, eu podia escrever o artigo para a tal revista. Fui para a frente do computador, em meia hora o rascunho estava pronto, e eu estava contente com o resultado. Narrei uma em forma de diálogo, como se fosse fictícia – mas a conversa tinha acontecido em um quarto de hotel em Amsterdã, depois de um dia de intensa promoção, do jantar de sempre, da visita às atrações turísticas etc.

No meu artigo, o nome dos personagens e a situação em que se encontram são completamente omitidos. Na vida real, Esther está de camisola, olhando o canal que passa diante de nossa janela. Ainda não é correspondente de guerra, seus olhos continuam alegres, adora o seu trabalho, viaja comigo sempre que pode, e a vida continua a ser uma grande aventura. Estou deitado na cama, em silêncio, minha cabeça está longe dali, pensando na agenda do dia seguinte.

*F*ui fazer uma entrevista na semana passada com um especialista em interrogatórios policiais. Contou-me sobre como consegue arrancar a maior parte das informações: usando uma técnica que chamam de "frio/quente". Começam sempre com um policial violento, que ameaça não respeitar nenhuma regra, grita, dá socos na mesa. Quando o prisioneiro está apavorado, entra o "bom policial", exige que pare com aquilo, oferece um cigarro, torna-se cúmplice do suspeito, e assim consegue o que deseja.

– Eu já sabia disso.

– Entretanto, ele me contou algo que me deixou aterrorizada. Em 1971, um grupo de pesquisadores da Universidade de Stanford, nos Estados Unidos, resolveu criar uma prisão simulada para estudar a psicologia dos interrogatórios: selecionaram 24 estudantes voluntários, divididos entre "guardas" e "criminosos".

"No final de uma semana, tiveram que interromper a experiência: os 'guardas', meninos e meninas com valores normais, educados em boas famílias, tinham se tornado verdadeiros monstros. O uso da tortura passou a ser rotineiro, os abusos sexuais com 'prisioneiros' eram vistos como algo normal. Os estudantes que participaram do projeto – tanto 'guardas' como 'criminosos' tiveram traumas tão grandes, que precisaram de cuidados médicos por um longo período, e a experiência jamais foi repetida."

– Interessante.

– O que você quer dizer com "interessante"? Estou falando de algo de suprema importância: a capacidade do homem fazer o mal sempre que tem oportunidade. Estou falando do meu trabalho, das coisas que tenho aprendido!

– É isso que acho interessante. Por que está irritada?

– Irritada? Como posso estar irritada com alguém que não presta a menor atenção no que digo? Como posso estar nervosa com uma pessoa que não está me provocando, está apenas deitada, olhando o vazio?

– Você bebeu hoje?

– Pois você não sabe nem mesmo a resposta para esta pergunta, não é verdade? Eu estava ao seu lado a noite inteira, e você não viu se bebi ou não! Só se dirigia a mim quando desejava que eu confirmasse algo que havia dito, ou quando precisava que eu contasse uma bela história a seu respeito!

– Será que não percebe que estou trabalhando desde de manhã, e estou exausto? Por que não se deita, dormimos e amanhã conversamos?

– Porque tenho feito isso por semanas, por meses, durante estes dois anos passados! Tento conversar, você está cansado, dormimos e falamos amanhã! E amanhã existem outras coisas para fazer, um outro dia de trabalho, jantares, dormimos e falaremos no dia seguinte. Assim estou passando minha vida: aguardando um dia em que possa tê-lo de novo ao meu lado, até que me canse, não peça mais nada, crie um mundo onde possa me refugiar sempre que houver necessidade: um mundo não tão distante para não parecer que tenho uma vida independente, e nem tão próximo, para não parecer que estou invadindo o seu universo.

– O que deseja que eu faça? Que pare de trabalhar? Que deixe tudo que conseguimos de maneira tão árdua, e façamos um

cruzeiro de navio pelas ilhas do Caribe? Não entende que gosto
do que faço, e não tenho a menor intenção de mudar de vida?

– Em seus livros, você fala da importância do amor, da
necessidade de aventura, da alegria do combate por seus sonhos. E quem eu tenho agora diante de mim? Alguém que não
lê o que escreve. Alguém que confunde amor com conveniência,
aventuras com riscos desnecessários, alegria com obrigação.
Onde está o homem com quem me casei, que prestava atenção
no que dizia?

– Onde está a mulher com quem me casei?

– Aquela que sempre lhe dava apoio, estímulo, carinho? Seu
corpo está aqui, olhando o canal Singel, em Amsterdã, e penso
que continuará ao seu lado pelo resto da vida! Mas a alma desta
mulher está na porta deste quarto, pronta para partir.

– Por que razão?

– Por causa da maldita frase "amanhã a gente conversa". É
o bastante? Se não for o bastante, pense que a tal mulher com
quem se casou era entusiasmada pela vida, cheia de idéias, de
alegria, de desejos, e agora caminha rapidamente para transformar-se em uma dona de casa.

– Isso é ridículo.

– Está bem, isso é ridículo. Uma bobagem! Uma coisa sem
importância, principalmente se pensarmos que temos tudo,
somos bem-sucedidos, temos dinheiro, não comentamos sobre
eventuais amantes, jamais tivemos uma crise de ciúmes. Além do
mais, existem milhões de crianças passando fome no mundo, há
guerras, doenças, furacões, tragédias que acontecem a cada segundo. Então, de que posso me queixar?

– Você não acha que é hora de termos um filho?

– É assim que todos os casais que conheci resolviam seus
problemas: tendo um filho! Você, que prezava tanto sua liberda-

de, que achava que devíamos deixar sempre para mais adiante, agora mudou de idéia?

– Agora acho a hora certa.

– Pois não podia ser mais errada, na minha opinião! Não, não quero um filho seu – quero um filho do homem que conheci, que tinha sonhos, que estava ao meu lado! Se algum dia resolver engravidar, será de alguém que me entende, me acompanha, me escuta, me deseja de verdade!

– Tenho certeza de que você bebeu. Eu prometo, conversamos amanhã, mas venha deitar, por favor, estou muito cansado.

– Então conversamos amanhã. E se minha alma, que está na porta deste quarto, resolver ir embora, isso não vai afetar muito nossa vida.

– Ela não irá embora.

– Você já conheceu muito bem minha alma; mas faz anos que não conversa com ela, não sabe o quanto ela mudou, o quanto ela está pedindo – de-ses-pe-ra-da-men-te – para que a escute. Mesmo que sejam assuntos banais, como experiências em universidades americanas.

– Se sua alma mudou tanto, por que você continua a mesma?

– Por covardia. Porque acho que amanhã a gente vai conversar. Por tudo que construímos juntos, e não quero ver destruído. Ou pela razão mais grave de todas: me acomodei.

– Há pouco, você me acusava disso tudo.

– Tem razão. Olhei para você, achei que era você, mas na verdade sou eu. Esta noite eu vou rezar com toda a minha força e toda a minha fé: vou pedir a Deus que não permita passar o resto de meus dias desta maneira.

*E*scuto as palmas, o teatro está repleto. Vou começar a fazer aquilo que sempre me deixa insone na véspera: uma conferência.

O apresentador começa dizendo que não precisa me apresentar – o que é uma barbaridade, já que ele está ali para isso, não leva em conta que muita gente na sala talvez não saiba exatamente quem sou, foi levada por amigos. Mas, apesar do seu comentário, ele termina dando alguns dados biográficos, fala de minhas qualidades, dos meus prêmios, dos milhões de livros vendidos. Começa a agradecer os patrocinadores, me cumprimenta e me dá a palavra.

Agradeço também. Digo que as coisas mais importantes que tenho a dizer eu coloco em meus livros, mas acho que tenho uma obrigação com meu público: mostrar o homem que existe por detrás de suas frases e seus parágrafos. Explico que a condição humana nos faz compartilhar apenas aquilo que temos de melhor – porque estamos sempre em busca de amor, de aceitação. Portanto, meus livros sempre serão a ponta visível de uma montanha entre as nuvens, ou uma ilha no oceano: a luz bate ali, tudo parece estar em seu lugar, mas embaixo da superfície existem o desconhecido, as trevas, a incessante busca de si mesmo.

Conto como foi difícil escrever *Tempo de rasgar, tempo de costurar,* e que muitas partes deste livro eu só estou entendendo agora, à medida que o releio, como se a criação fosse sempre mais generosa e maior que o criador.

Digo que não há coisa mais aborrecida do que ler entrevistas ou assistir a conferências de autores explicando os personagens dos seus livros: o que está escrito, ou se explica por si mesmo, ou é um livro que não deve ser lido. Quando o escritor aparece em público, deve procurar mostrar o seu universo, não tentar explicar sua obra; e por causa disso, começo a falar de algo mais pessoal:

– Há algum tempo, estive em Genebra para uma série de entrevistas. No final de um dia de trabalho, como uma amiga havia cancelado o jantar, saí para caminhar pela cidade. A noite estava particularmente agradável, as ruas desertas, os bares e restaurantes cheios de vida, tudo parecia absolutamente calmo, em ordem, bonito, e de repente...

"... de repente eu me dei conta de que estava absolutamente só.

"É evidente que já estive sozinho muitas vezes este ano. É evidente que em algum lugar, a duas horas de vôo, minha namorada me esperava. É evidente que depois de um dia agitado como aquele, nada melhor que caminhar pelas ruelas e becos da cidade antiga, sem precisar conversar nada com ninguém, apenas contemplando a beleza ao meu redor. Mas a sensação que apareceu foi um sentimento de solidão opressor, angustiante – não tinha com quem dividir a cidade, o passeio, os comentários que gostaria de fazer.

"Peguei o celular que carregava; afinal tinha um número razoável de amigos na cidade, mas era tarde para chamar quem quer que seja. Considerei a possibilidade de entrar em um dos bares, pedir algo para beber – com quase toda certeza seria reconhecido e alguém me convidaria para sentar em sua mesa. Mas resisti à tentação, e procurei viver aquele momento até o fim, descobrindo que não existe nada pior do que sentir que ninguém se importa com o fato de existirmos ou não, que não estão interessadas em nossos comentários sobre a vida, que o mundo pode continuar andando perfeitamente, sem a nossa presença incômoda.

"Comecei a imaginar quantos milhões de pessoas, naquele momento, estavam certas de que eram inúteis, miseráveis – por mais ricas, charmosas, encantadoras que sejam – porque estavam sós naquela noite, e ontem também, e possivelmente estarão sozinhas amanhã. Estudantes que não encontraram com quem sair, pessoas de idade diante da TV como se fosse a última salvação, homens de negócios em seus quartos de hotel, pensando se o que fazem tem algum sentido, mulheres que passaram a tarde se maquiando e fazendo o cabelo para irem a um bar, fingir que não procuram companhia, estão apenas interessadas em confirmar que ainda são atraentes, os homens olham, puxam conversa, e elas descartam qualquer aproximação com um ar superior – porque se sentem inferiores, têm medo do que descubram que são mães solteiras, empregadas em algo sem importância, incapazes de conversar sobre o que acontece no mundo, já que trabalham de manhã à noite para sustentar-se e não têm tempo de ler as notícias do dia.

"Pessoas que se olharam no espelho, se julgam feias, acham que a beleza é fundamental, e conformam-se em passar o tempo olhando as revistas onde todos são bonitos, ricos, famosos. Maridos e mulheres que acabaram de jantar, gostariam de estar conversando como faziam antigamente, mas existem outras preocu-

pações, outras coisas mais importantes, e a conversa pode esperar até um amanhã que não chega nunca.

"Na tarde daquele dia, tinha almoçado com uma amiga que
acabara de divorciar-se, e me dizia: 'agora tenho toda a liberdade com que sempre sonhei.' É mentira! Ninguém quer este tipo
de liberdade, todos nós queremos um compromisso, uma pessoa para estar ao nosso lado vendo as belezas de Genebra, discutindo sobre livros, entrevistas, filmes, ou dividindo um sanduíche, porque o dinheiro não dá para comprar dois. Melhor
comer metade de um que comê-lo inteiro. Melhor ser interrompido pelo homem que deseja voltar logo para casa porque existe um importante jogo de futebol na TV, ou pela mulher que
pára diante de uma vitrine e interrompe no meio o comentário
sobre a torre da catedral – do que ter Genebra inteira para si
mesmo, todo o tempo e sossego do mundo para visitá-la.

"Melhor ficar com fome do que ficar sozinho. Porque quando você está sozinho – e eu não falo da solidão que escolhemos,
mas da que somos obrigados a aceitar – é como se não fizesse
mais parte da raça humana.

"O lindo hotel me esperava do outro lado do rio, com a suíte confortável, os empregados atenciosos, o serviço de primeiríssi-
sima qualidade – e isso me fazia sentir pior, porque devia estar
contente, satisfeito com tudo o que havia conseguido.

"No caminho de volta, cruzei com outras pessoas na mesma
situação que a minha, e notei que tinham dois tipos de olhares:
arrogantes, porque querem fingir que escolheram a solidão nesta linda noite. Ou tristes, envergonhadas por estarem sozinhas.

"Conto tudo isso porque me lembrei recentemente de um
hotel em Amsterdã, de uma mulher que estava ao meu lado,
falava comigo, me contava sua vida. Conto tudo isso porque,

embora o Eclesiastes diga que há tempo de rasgar, e tempo de costurar, às vezes o tempo de rasgar deixa cicatrizes muito profundas. Pior do que caminhar só e miserável por Genebra, é estarmos com alguém ao nosso lado, e fazer com que esta pessoa sinta-se como se não tivesse a menor importância em nossa vida."

Houve um longo momento de silêncio, antes dos aplausos.

*C*heguei a um lugar sinistro, em um bairro de Paris onde se dizia que a vida cultural era a mais interessante de toda a cidade. Custou algum tempo para eu reconhecer que o grupo malvestido diante de mim era o mesmo que se apresentava todas as quintas-feiras no restaurante armênio, imaculadamente vestidos de branco.

– Por que estão usando estas fantasias? Influência de algum filme?

– Não são fantasias – respondeu Mikhail. – Quando você vai a um jantar de gala, também não muda de roupa? Quando vai a um campo de golfe, veste-se com terno e gravata?

– Então, mudo minha pergunta: por que resolveram imitar a moda dos jovens sem-teto?

– Porque, neste momento, somos jovens sem-teto. Melhor dizendo, quatro jovens e dois adultos sem teto.

– Mudo minha pergunta pela última vez: o que fazem aqui, vestidos desta maneira?

– No restaurante, alimentamos nosso corpo e falamos da energia para gente que tem alguma coisa a perder. Entre os mendigos, alimentamos nossa alma e conversamos com quem não tem nada a perder. Agora, vamos para a parte mais importante de nosso trabalho: encontrar o movimento invisível que renova o mundo – gente que vive o dia de hoje como se fosse o último, enquanto os velhos vivem como se fosse o primeiro.

Ele estava falando de algo que já havia notado, e que parecia crescer a cada dia: jovens vestidos daquela maneira, roupas sujas mas extremamente criativas, baseadas em uniformes militares, ou em filmes de ficção científica. Todos usavam piercing. Todos tinham o cabelo cortado de maneira diferente. Muitas vezes, os grupos eram acompanhados por um pastor alemão, de ar ameaçador. Certa vez perguntei a um amigo por que sempre tinham um cachorro, e recebi como explicação – não sei se é verdade – que a polícia não podia prender os seus donos, já que não tinha onde colocar o animal.

Uma garrafa de vodca começou a circular – bebiam a mesma coisa quando estávamos com os mendigos, e eu me perguntei se isso era resultado das origens de Mikhail. Tomei um gole, imaginando o que diria alguma pessoa que me visse ali.

Decidi que diriam: "está pesquisando algo para seu próximo livro", e relaxei.

– Estou pronto. Vou até onde se encontra Esther, e preciso de algumas informações, porque não conheço nada do seu país.

– Irei com você.

– O quê?

Aquilo não estava nos meus planos. Minha viagem era um retorno a tudo que eu havia perdido em mim mesmo, terminaria em algum lugar nas estepes da Ásia – e isso era algo íntimo, pessoal, sem testemunhas.

– Desde que pague minha passagem, claro. Mas preciso ir ao Casaquistão, sinto falta da minha terra.

– Você não tem trabalho para fazer por aqui? Não deve estar todas as quintas-feiras no restaurante, para o espetáculo?

– Você insiste em chamar de espetáculo. Já disse que se trata de um encontro, de reviver o que perdemos: a tradição da conversa. Mas não se preocupe, Anastásia – apontou para a menina com piercing no nariz – está desenvolvendo seu dom. Pode cuidar de tudo enquanto eu estiver longe.

– Ele está com ciúmes – disse Alma, a senhora que tocava o instrumento de metal parecido com um prato, e contava histórias no final do "encontro".

– Faz sentido – desta vez era o outro rapaz, agora usando uma roupa toda de couro, com apliques de metal, alfinetes de segurança, broches imitando lâminas de barbear. – Mikhail é mais jovem, mais bonito, mais conectado com a energia.

– E menos famoso, menos rico, menos conectado com os donos do poder – disse Anastásia. – Do ponto de vista feminino, as coisas estão equilibradas, ambos têm a mesma chance.

Todos riram, a garrafa de vodca girou outra vez, eu fui o único que não achou graça nenhuma. Mas estava me surpreendendo comigo mesmo: há muitos anos não sentava no chão de uma rua de Paris, e isso me deixava contente.

– Pelo visto, a tribo é maior do que vocês imaginam. Está presente da Torre Eiffel à cidade de Tarbes, onde estive recentemente. Não entendo direito o que está acontecendo.

– Posso garantir que vai mais longe do que Tarbes, e segue rotas tão interessantes como o Caminho de Santiago. Partem para algum lugar da França ou da Europa, jurando que serão parte de uma sociedade fora da sociedade. Temem voltar às suas casas um dia, arranjar um emprego, casar-se – lutarão contra isso o tempo que for possível. São pobres e ricos, mas o dinheiro não interessa muito. São completamente diferentes: e mesmo assim, quando passam, a maioria finge que não nos vê, porque tem medo.

– É necessária esta agressividade toda?

– É necessária: a paixão de destruir é uma paixão criadora. Se não forem agressivos, logo as butiques estarão cheias de roupas como essa, as editoras publicarão revistas especializadas no novo movimento "que varre o mundo com seus costumes revolucionários", os programas de televisão terão um quadro dedicado à tribo, os sociólogos escreverão tratados, os psicólogos aconselharão as famílias – e tudo perderá sua força. Portanto, quanto menos souberem, melhor: nosso ataque funciona como defesa.

– Eu vim apenas para pedir algumas informações, e mais nada. Talvez passar a noite de hoje na companhia de vocês seja algo realmente enriquecedor, que me ajude a me afastar mais ainda de uma história pessoal que já não me permite novas experiências. Entretanto, não tenho intenção de levar ninguém em minha viagem; se não conseguir ajuda, o Banco de Favores se encarregará de todos os contactos necessários. Além do mais, parto em dois dias – tenho um jantar importante amanhã à noite, mas em seguida estou livre por duas semanas.

Mikhail pareceu vacilar.

– Você decide: tem o mapa, o nome da aldeia, e não será difícil encontrar a casa onde está hospedada. Entretanto, na minha opinião, o Banco de Favores pode ajudá-lo a chegar até Almaty, mas não o levará mais adiante, porque as regras da estepe são outras. E pelo que me consta, fiz alguns depósitos na sua conta no Banco de Favores, não acha? É hora de resgatá-los, estou com saudades de minha mãe.

Ele tinha razão.

– Temos que começar a trabalhar – interrompeu o senhor casado com Alma.

– Por que deseja ir comigo, Mikhail? Apenas saudades de sua mãe?

Mas ele não respondeu. O senhor começou a tocar seu atabaque, Alma usava o prato de metal com apliques, e os outros pediam esmola aos que passavam. Por que desejava ir comigo?

E como usar o Banco de Favores na estepe, se eu não conhecia absolutamente ninguém? Podia conseguir um visto na embaixada do Casaquistão, um carro em uma agência de aluguel, e um guia no consulado da França em Almaty – será que era necessário mais do que isso?

Fiquei parado, observando o grupo, sem saber direito o que fazer. Não era hora de ficar discutindo sobre a viagem, tinha trabalho e namorada me esperando em casa: por que não despedir-me agora?

Porque estava me sentindo livre. Fazendo coisas que não fazia há muitos anos, abrindo espaço na minha alma para novas experiências, afastando o *acomodador* da minha vida, experimentando coisas que talvez não me interessassem muito, mas que pelo menos eram diferentes.

A bebida acabou, e foi substituída por rum. Detesto rum, mas era o que tinha, melhor me adaptar às circunstâncias. Os dois músicos tocavam o prato e o atabaque, e, quando alguém ousava passar por perto, uma das moças estendia a mão, pedindo alguma moeda. A pessoa normalmente caminhava mais rápido, mas sempre escutava "obrigada, tenha uma boa noite". Uma das pessoas, ao ver que não tinha sido agredida, mas agradecida, voltou e deu algum dinheiro.

Depois de assistir àquela cena por mais de dez minutos, sem que ninguém do grupo me dirigisse a palavra, fui até um bar, comprei duas garrafas de vodca, voltei e joguei o rum na sarjeta. Anastásia parece que ficou contente com o meu gesto – e tentei puxar conversa.

– Podem me explicar por que usam um piercing?

– Por que vocês usam jóias? Usam sapatos altos? Usam vestidos decotados, mesmo no inverno?

– Isso não é uma resposta.

– Usamos piercing porque somos os novos bárbaros invadindo Roma; como ninguém usa uniforme, algo precisa identificar quem pertence às tribos da invasão.

Soava como se estivessem vivendo um momento histórico importante; mas para os que voltavam para casa naquele momento, eram apenas um grupo de desocupados sem lugar para dormir, enchendo as ruas de Paris, incomodando os turistas que faziam tão bem para a economia local, deixando pais e suas mães à beira da loucura por os terem trazido ao mundo e não poder controlá-los.

Eu já fora assim um dia, quando o movimento hippie tentou mostrar sua força – os megaconcertos de rock, os cabelos grandes, as roupas coloridas, o símbolo viking, os dedos em V designando "paz e amor". Terminaram – como disse Mikhail – virando apenas mais um produto de consumo, desapareceram da face da Terra, destruíram seus ícones.

Um homem vinha caminhando sozinho pela rua: o rapaz vestido de couro e alfinetes se aproximou com a mão estendida. Pediu dinheiro. Mas ao invés de apressar o passo e murmurar alguma coisa como "não tenho trocado", ele parou, encarou todo mundo e disse em voz alta:

– Eu acordo todos os dias com uma dívida de aproximadamente 100 mil euros, por causa de minha casa, da situação econômica da Europa, dos gastos de minha mulher! Ou seja, estou em pior situação que você, e muito mais tenso! Você não pode me dar pelo menos uma moeda, e diminuir minha dívida?

Lucrecia – a que Mikhail dizia ser sua namorada – tirou uma nota de 50 euros e deu para o homem.

– Compre um pouco de caviar. Você precisa ter alguma alegria em sua miserável vida.

Como se tudo aquilo fosse a coisa mais normal do mundo, o homem agradeceu e foi embora. Cinqüenta euros! A menina italiana tinha em seu bolso uma nota de 50 euros! E estavam pedindo dinheiro, mendigando na rua!

– Chega de ficar por aqui – disse o rapaz de roupa de couro.

– Aonde vamos? – perguntou Mikhail.

– Em busca dos outros. Norte ou sul?

Anastásia decidiu oeste; afinal de contas, segundo acabara de escutar, ela estava desenvolvendo seu dom.

Passamos em frente à Torre de Saint-Jacques, onde muitos séculos atrás se reuniam os peregrinos para Santiago de Compostela. Passamos pela catedral de Notre Dame, onde encontraram mais alguns "novos bárbaros". A vodca acabou, e eu fui comprar mais duas garrafas – mesmo sem ter certeza de que todos ali eram maiores de idade. Ninguém me agradeceu, acharam a coisa mais normal do mundo.

Notei que já estava um pouco bêbado, olhando uma das meninas recém-chegadas com interesse. Falavam alto, chutavam algumas latas de lixo – na verdade, estranhos objetos de metal com um saco plástico pendurado – e não diziam nada, absolutamente nada de interessante.

Atravessamos o Sena e de repente paramos diante de uma fita destas usadas para marcar uma área onde está sendo feita uma construção. A fita impedia a passagem pela calçada: todos precisavam descer para o meio do trânsito, e voltar para a calçada cinco metros mais adiante.

– Ainda está aí – disse um dos recém-chegados.

– O que ainda está aí? – perguntei.

– Quem é este sujeito?

– Um amigo nosso – respondeu Lucrecia. – Aliás, você deve ter lido um de seus livros.

O recém-chegado me reconheceu, sem demonstrar surpresa ou reverência; pelo contrário, perguntou se eu podia lhe dar algum dinheiro – o que recusei na hora.

– Se quer saber por que a fita está aí, me dê uma moeda. Tudo nessa vida tem um preço, você sabe melhor que ninguém. E informação é um dos produtos mais caros do mundo.

Ninguém do grupo veio em meu socorro; tive que pagar um euro pela resposta.

– O que ainda está aí é esta fita. Nós a amarramos. Se você olhar, não existe nenhum conserto, não existe nada, apenas uma estúpida coisa de plástico branco e vermelho, interrompendo a passagem em uma estúpida calçada. Mas ninguém pergunta o que ela está fazendo ali: descem do meio-fio, caminham pela rua arriscando-se a serem atropelados e tornam a subir mais adiante. Por sinal, li que você sofreu um acidente – é verdade?

– Justamente por descer do meio-fio.

– Não se preocupe: quando as pessoas fazem isso, elas prestam o dobro de atenção: foi isso que nos inspirou o uso da fita – fazer com que saibam o que está acontecendo ao redor.

– Não é nada disso. Era a menina que eu achava atraente. – Não passa de uma brincadeira, para que possamos rir de gente que obedece sem saber a que está obedecendo. Não tem razão, não tem importância, e ninguém será atropelado.

Mais gente se juntou ao grupo, agora eram 11 pessoas e dois pastores alemães. Já não pediam dinheiro, porque ninguém ousava aproximar-se do bando de selvagens, que parecia se divertir com o medo que causavam. A bebida terminou, todos olharam para mim, como se tivesse obrigação de embriagá-los, e me pediram que comprasse outra garrafa. Entendi que era o meu "passaporte" para a peregrinação e comecei a procurar uma loja.

A menina que eu achara interessante – e que tinha idade para ser minha filha – parece que notou meu olhar, e puxou conversa. Sabia que era apenas uma maneira de provocar-me, mas aceitei. Não me contou nada de sua vida pessoal: indagou se eu sabia quantos gatos e quantos postes estavam na parte de trás de uma nota de dez dólares.

– Gatos e postes?

– Você não sabe. Você não dá valor ao dinheiro. Pois saiba que existem quatro gatos e 11 postes de luz gravados ali.

Quatro gatos e 11 postes? Prometi a mim mesmo que iria verificar na próxima vez que visse uma nota.

– Drogas circulam por aqui?

– Algumas, principalmente o álcool. Mas muito pouco, não faz parte do nosso estilo. Drogas é mais para a sua geração, não é verdade? Minha mãe, por exemplo, se droga cozinhando para a família, arrumando compulsivamente a casa, sofrendo por mim. Quando algo anda mal com os negócios de meu pai, ela sofre. Você acredita? Ela sofre! Sofre por mim, por meus pais, por meus irmãos, por tudo. Como eu precisava gastar muita energia fingindo que estava contente o tempo todo, achei melhor sair de casa.

Bem, era uma história pessoal.

– Como a sua mulher – disse um jovem louro, com piercing na pálpebra. – Ela também saiu de casa: foi porque precisava fingir que estava contente?

Também ali? Será que ela dera a algum deles um pedaço do tal tecido manchado de sangue?

– Ela também sofria – riu Lucrecia. – Mas pelo que sabemos, já não sofre mais: isso é que é coragem!

– O que minha mulher fazia aqui?

– Acompanhava o mongol, com suas idéias estranhas a respeito do amor, que só agora começamos a compreender direito. E fazia perguntas. Contava sua história. Um belo dia, parou de fazer perguntas e de contar sua história: disse que estava cansada de reclamar. Sugerimos que largasse tudo e viesse conosco, tínhamos uma viagem planejada para o norte da África. Ela agradeceu, explicou que tinha outros planos, e que iria na direção contrária.

– Você não leu seu novo livro? – perguntou Anastásia.

– Me disseram que é romântico demais, não me interessa. Quando é que vamos comprar esta droga de bebida?

As pessoas nos deixavam passar, como se fôssemos samurais entrando em uma aldeia, bandidos chegando a uma cidade do oeste, bárbaros entrando em Roma. Embora nenhum deles fizesse qualquer gesto ameaçador, a agressividade estava nas roupas, no piercing, nas conversas em voz alta, na diferença. Chegamos finalmente a uma loja de bebidas: para meu desconsolo e aflição, todos entraram e começaram a mexer nas prateleiras.

Quem eu conhecia ali? Apenas Mikhail: mesmo assim não sabia se sua história era verdadeira. E se roubassem? Se algum deles tivesse uma arma? Eu estava com aquele grupo – seria o responsável por ser o mais velho?

O homem da caixa olhava sem parar o espelho colocado no teto do pequeno mercado. O grupo, sabendo que ele estava preocupado, se espalhava, faziam gestos uns para os outros, a tensão crescia. Para não ter que passar por isso novamente, peguei logo três garrafas de vodca, e me dirigi rápido para a caixa.

Uma mulher, enquanto pagava um maço de cigarros, comentou que no seu tempo Paris tinha boêmios, tinha artistas, mas não tinha bandos de desabrigados ameaçando todo mundo. E sugeriu ao caixa que chamasse a polícia.

– Tenho certeza que algo de ruim está para acontecer nos próximos minutos – disse ela em voz baixa.

O caixa estava assustadíssimo com a invasão do seu pequeno mundo, fruto de anos de trabalho, de muitos empréstimos, onde possivelmente seu filho trabalhava de manhã, sua mulher de tarde, e ele de noite. Fez um sinal para a mulher, e entendi que ele já havia chamado a polícia.

Detesto ter que me meter em coisas para as quais não fui chamado. Mas também detesto ser covarde – cada vez que isso acontece, perco o respeito por mim mesmo durante uma semana.

– Não se preocupe...

Era tarde.

Dois policiais entravam, o dono fez um sinal, mas aquelas pessoas vestidas como extraterrestres não deram muita atenção – era parte do desafio encarar os representantes da ordem estabelecida. Já deviam ter passado por aquilo muitas vezes. Sabiam que não tinham cometido nenhum crime (exceto atentados à moda, mas até isso podia mudar na próxima estação de alta-costura). Deviam estar com medo, mas não demonstravam, e continuavam conversando aos berros.

– Outro dia vi um comediante dizendo: todas as pessoas estúpidas deviam ter isso escrito em sua carteira de identidade – disse Anastásia para quem quisesse ouvir. – Assim, saberíamos com quem estamos falando.

– Realmente, pessoas estúpidas são um perigo para a sociedade – respondeu a menina de rosto angelical e roupa de vampiro, que pouco tempo antes estava conversando comigo sobre postes e gatos na nota de dez dólares. – Deveriam ser testados uma vez por ano, e ter uma licença para continuar a caminhar pelas ruas, como os motoristas precisam de licença para dirigir.

Os policiais, que não deviam ser muito mais velhos que "a tribo", não diziam nada.

– Sabe o que eu gostaria de fazer? – era a voz de Mikhail, mas eu não podia vê-lo, porque estava oculto por uma estante. – Trocar os rótulos de todas estas mercadorias. As pessoas estariam perdidas para sempre: não saberiam quando comer quente, frio, cozido ou frito. Se não lêem as instruções, não sabem como preparar a comida. Não têm mais instinto. Todos que até então tinham dito alguma coisa se expressavam em francês perfeito, parisiense. Mas Mikhail tinha sotaque.

– Quero ver seu passaporte – disse o guarda.

– Ele está comigo.

As palavras saíram naturalmente, embora eu soubesse o que isso podia significar – escândalo de novo. O guarda me olhou.

– Eu não falei com o senhor. Mas, já que interferiu, e já que está com este grupo, espero que tenha algum documento para provar quem é. E um bom argumento para explicar por que está cercado de gente com a metade de sua idade, comprando vodca.

Eu podia recusar-me a mostrar os documentos – a lei não me obrigava a carregá-los comigo. Mas pensava em Mikhail: um dos guardas estava agora ao seu lado. Será que tinha mesmo permissão para estar na França? O que eu sabia dele além das histórias de visões e epilepsia? Se a tensão do momento provocasse um ataque?

Enfiei a mão no bolso e tirei minha carteira de motorista.

– O senhor é...

– Sou.

– Achei que era: li um de seus livros. Mas isso não o faz ficar acima da lei.

O fato de ser meu leitor me desmontou por completo. Ali estava aquele rapaz, de cabeça raspada, vestindo também um uniforme – embora totalmente distinto das roupas que as "tribos" usavam para identificar-se umas com as outras. Talvez um dia ele tivesse sonhado com a liberdade de ser diferente, de agir diferente, desafiar a autoridade de maneira sutil, sem o desacato formal que termina em cadeia. Mas devia ter um pai que nunca lhe deixou uma alternativa, uma família para ajudar a sustentar, ou apenas medo de ir além do seu mundo conhecido.

Respondi com delicadeza:

– Não estou acima da lei. Na verdade, ninguém quebrou nenhuma lei. A não ser que o senhor da caixa ou a senhora que está comprando cigarros queiram dar alguma queixa explícita.

Quando me virei, a mulher que falava de artistas e boêmios do seu tempo, a profeta de uma tragédia que estava para acontecer, a dona da verdade e dos bons costumes, tinha desaparecido. Certamente iria comentar com os vizinhos na manhã seguinte que graças a ela um assalto fora interrompido no meio.

– Não tenho queixa – disse o homem da caixa, pego na armadilha de um mundo onde as pessoas falavam alto, mas aparentemente não faziam nenhum mal.

– A vodca é para o senhor?

Eu acenei que sim com a cabeça. Eles sabiam que todos ali estavam bêbados, mas tampouco desejavam criar um caso onde não existia qualquer ameaça.

– Um mundo sem pessoas estúpidas seria um caos! – Era a voz do que usava roupa de couro com correntes. – Em vez de desempregados como temos hoje, haveria emprego sobrando, e ninguém para trabalhar!

– Basta!

Minha voz saiu autoritária, decisiva.

– Nenhum de vocês fala mais!

E, para minha surpresa, o silêncio se fez. Meu coração fervia por dentro, mas continuei a conversar com os policiais, como se fosse a pessoa mais calma do mundo.

– Se fossem perigosos, não estariam provocando.

O policial se voltou para o caixa:

– Se precisar, estamos por perto.

E antes de sair, comentou com o outro, de modo que sua voz ressoasse na loja inteira.

– Eu adoro gente estúpida: sem elas, nesta hora a gente podia estar sendo obrigado a enfrentar assaltantes.

– Tem razão – respondeu o outro policial. – Gente estúpida nos distrai e não é arriscado.

Com a continência de praxe, se despediram de mim.

A única coisa que me ocorreu ao sair do bar, foi imediatamente quebrar as garrafas de vodca – mas uma delas foi salva da destruição, e passou de boca em boca rapidamente. Pela maneira como beberam, vi que estavam assustados – tão assustados quanto eu. A diferença é que, ao se sentirem ameaçados, tinham partido para o ataque.

– Não estou me sentindo bem – disse Mikhail para um deles. – Vamos embora.

Não sabia o que queria dizer "embora": cada um para sua casa? Cada um para sua cidade, ou para debaixo de sua ponte? Ninguém me perguntou se eu também iria "embora", de modo que continuei a acompanhá-los. O comentário de "não estou me sentindo bem" me incomodava – não conversaríamos mais aquela noite sobre a viagem para a Ásia Central. Devia despedir-me? Ou devia ir até o fim, para ver o que significava "vamos embora"? Descobri que estava me divertindo, e que gostaria de tentar seduzir a menina com roupas de vampiro.

Avante, portanto.

E debandar a qualquer sinal de perigo.

Enquanto seguíamos para um lugar que eu não conhecia, pensava sobre tudo que estava vivendo. Uma tribo. Uma volta simbólica ao tempo em que os homens viajavam, se protegiam em grupos e dependiam de muito pouco para sobreviver. Uma tribo no meio de outra tribo hostil, chamada sociedade, atravessando seus campos, assustando porque eram constantemente desafiados. Um grupo de pessoas que havia se reunido em uma sociedade ideal – sobre a qual eu nada sabia além dos piercings e das roupas que vestiam. Quais eram seus valores? O que pensavam da vida? Como ganhavam dinheiro? Tinham sonhos, ou bastava caminhar pelo mundo? Tudo aquilo era muito mais interessante que o jantar a que devia ir no dia seguinte, onde já sabia absolutamente tudo que iria acontecer. Estava convencido de que devia ser o efeito da vodca, mas eu me sentia livre, minha história pessoal estava cada vez mais distante, sobrava apenas o momento presente, o instinto, o Zahir havia desaparecido...

O Zahir?

Ele havia desaparecido, mas agora eu me dava conta que um Zahir era mais do que um homem obcecado por um objeto, uma das mil colunas da mesquita de Córdoba, como dizia o conto de Borges, ou uma mulher na Ásia Central, como fora minha terrível experiência por dois anos. O Zahir era a fixação em tudo que havia sido passado de geração a geração, não deixava nenhuma pergunta sem resposta, ocupava todo o espaço, não nos permitia jamais considerar a possibilidade de que as coisas mudavam.

O Zahir todo-poderoso parecia nascer junto de cada ser humano, e ganhar sua força total durante a infância, impondo suas regras, que a partir de então serão sempre respeitadas:

Gente diferente é perigosa, pertencem à outra tribo, querem nossas terras e nossas mulheres.

Precisamos casar, ter filhos, reproduzir a espécie.

O amor é pequeno, dá apenas para uma pessoa e olhe lá – qualquer tentativa de dizer que o coração é maior que isso é considerada maldita.

Quando nos casamos, estamos autorizados a tomar posse do corpo e da alma do outro.

É preciso trabalhar em algo que detestamos, porque somos parte de uma sociedade organizada, e se todos fizerem o que gostam, o mundo não anda para a frente.

Temos que comprar jóias – nos identifica com nossa tribo, assim como piercings identificam uma tribo diferente.

Devemos ser engraçados, e tratar com ironia as pessoas que expressam seus sentimentos – é um perigo para a tribo deixar que um de seus membros demonstre o que está sentindo.

É preciso evitar ao máximo dizer "não", porque gostam mais da gente quando dizemos "sim" – e isso nos permite sobreviver em um terreno hostil.

O que os outros pensam é mais importante do que o que sentimos.

Jamais faça escândalos, pode chamar a atenção de uma tribo inimiga.

Se você se comportar diferente será expulso da tribo, porque pode contagiar os outros, e desintegrar o que foi tão difícil de organizar.

Devemos ter sempre em mente como ficar dentro das novas cavernas e, se não soubermos direito, chamamos um decorador – que fará o melhor para mostrar aos outros que temos bom gosto.

Precisamos comer três vezes por dia, mesmo sem fome; devemos jejuar quando saímos dos padrões de beleza, mesmo se estivermos esfomeados.

Devemos nos vestir como manda o figurino, fazer amor com ou sem vontade, matar em nome de fronteiras, desejar que o tempo passe rápido e a aposentadoria chegue logo, eleger políticos, reclamar do custo de vida, mudar de penteado, maldizer os que são diferentes, ir a um culto religioso aos domingos, ou sábados, ou sextas, dependendo da religião; e ali pedir perdão por nossos pecados, encher-nos de orgulho porque conhecemos a verdade, e desprezar a outra tribo, que adora um deus falso. Os filhos precisam seguir nossos passos, afinal somos mais velhos e conhecemos o mundo.

Ter sempre um diploma de faculdade, mesmo que jamais vá conseguir um emprego naquilo que nos obrigaram a escolher como carreira.

Estudar coisas que jamais usaremos, mas que alguém disse que era importante conhecer: álgebra, trigonometria, o código de Hamurabi.

Jamais entristecer nossos pais, mesmo que isso signifique renunciar a tudo que nos deixa contentes.

Escutar música baixa, falar baixo, chorar escondido, porque eu sou o todo-poderoso Zahir, aquele que ditou as regras do jogo, a distância dos trilhos, a idéia do sucesso, a maneira de amar, a importância das recompensas.

Paramos diante de um prédio relativamente chique, em uma região cara. Um deles digitou o código na porta de entrada, e todos subimos para o terceiro andar. Imaginei que ia encontrar aquela família compreensiva, que tolera os amigos do filho – desde que os tenha próximo, e possam controlar tudo. Mas quando Lucrecia abriu a porta, tudo estava escuro: à medida que meus olhos se acostumavam com a luz da rua que filtrava pelas janelas, notei uma grande sala vazia – a única decoração era uma lareira que não devia ser utilizada há muitos anos.

Um rapaz de quase dois metros, cabelos louros, capa longa de gabardine, usando um corte de cabelo como os índios sioux americanos, foi até a cozinha e voltou com velas acesas. Todos sentaram-se em círculo no chão, e pela primeira vez naquela noi-

te eu tive medo: parecia que estava em um filme de terror, um
ritual satânico está pronto para ser iniciado – a vítima será o
estrangeiro desavisado que resolveu acompanhá-los.

Mikhail estava pálido, seus olhos se mexiam desordenada-
mente, sem conseguir se fixar em lugar nenhum – e isso aumen-
tou ainda mais meu desconforto. Estava prestes a ter um ataque
epilético: será que aquelas pessoas ali sabiam como lidar em
uma situação como essa? Não seria melhor que eu fosse embora, para não terminar envolvido em alguma tragédia?

Talvez essa fosse a atitude mais sábia, coerente com uma
vida onde eu era um escritor famoso, que escreve sobre espiritualidade e portanto precisa dar o exemplo. Sim, se eu fosse
razoável, diria à Lucrecia que no caso de um ataque deveria
colocar algo na boca de seu namorado para evitar que enrolasse
a língua e morresse sufocado. Evidente que ela devia saber disso, mas no mundo dos seguidores do Zahir social não deixamos
nada ao acaso, precisamos estar em paz com nossa consciência.

Antes do meu acidente, eu teria agido assim. Mas agora
minha história pessoal tinha perdido sua importância. Deixava
de ser história, e voltava de novo a ser lenda, a busca, a aventura, a viagem para dentro e para fora de mim mesmo. Estava de
novo em um tempo onde as coisas à minha volta se transformavam, e assim desejava que fosse até o final de meus dias (lembrei-me dos meus dizeres para o epitáfio: "morreu enquanto
estava vivo"). Carregava comigo as experiências de meu passado, que me permitiam reagir com velocidade e precisão, mas
não ficava me lembrando o tempo todo das lições que havia
aprendido. Imagine um guerreiro, no meio de um combate,
parar para decidir qual o melhor golpe? Morreria em um piscar
de olhos.

E o guerreiro que estava em mim, agindo com intuição e técnica, decidiu que era preciso ficar; continuar a experiência

daquela noite, mesmo que já fosse tarde, estivesse bêbado, cansado, com medo que Marie estivesse acordada, preocupada ou furiosa. Fui sentar-me junto de Mikhail, de modo que pudesse agir rápido no caso de uma convulsão.

E notei que ele parecia dirigir o ataque epilético! Aos poucos foi se acalmando, seus olhos começaram a ter a mesma intensidade do jovem vestido de branco, no palco do restaurante armênio.

– Começaremos com a oração de sempre – disse.

E aquelas pessoas, até então agressivas, bêbadas, marginais, fecharam os olhos e se deram as mãos em um grande círculo. Até os dois pastores alemães pareciam acalmar-se em um canto da sala.

– Oh, Senhora, quando presto atenção nos carros, nas vitrines, nas pessoas que não olham para ninguém, nos edifícios e nos monumentos, percebo neles Tua ausência. Faz com que sejamos capazes de trazer-Te de volta.

Em uma só voz, o grupo continuou:

– Oh, Senhora, reconhecemos Tua presença nas provas que estamos passando. Ajudai-nos a não desistir. Que nos lembremos de Ti com tranqüilidade e determinação, mesmo nos momentos em que é difícil aceitar que Te amamos.

Eu reparei que todos tinham o mesmo símbolo em algum lugar de suas roupas. Às vezes era um broche, ou um aplique de

metal, ou algo bordado, ou até mesmo um desenho com caneta feito no tecido.

– Gostaria de dedicar esta noite ao homem que está do meu lado direito. Sentou-se ao meu lado porque deseja me proteger. Como é que ele sabia?

– É uma pessoa de bem: entendeu que o amor transforma, e deixa-se transformar por ele. Ainda carrega muito de sua história pessoal na alma, mas tenta livrar-se sempre que possível, e por isso ficou conosco. É marido da mulher que todos conhecemos, que me deixou uma relíquia como uma prova de sua amizade, e como um talismã.

Mikhail tirou o pedaço de tecido manchado de sangue e colocou diante de si.

– Esta é parte da camisa do soldado desconhecido. Antes de morrer, ele pediu à mulher: "corte minha roupa e divida com aqueles que acreditam na morte, e que por causa disso são capazes de viver como se hoje fosse seu último dia na Terra. Diga a estas pessoas que acabo de ver a face de Deus; não se assustem, mas não relaxem. Procurem a única verdade, que é o amor. Vivam de acordo com suas leis."

Todos olhavam com reverência para o pedaço do tecido.

– Nascemos no tempo da revolta. Nos dedicamos a ela com entusiasmo, arriscamos nossas vidas e nossa juventude, e de repente temos medo: a alegria inicial cede lugar aos verdadeiros desafios: o cansaço, a monotonia, as dúvidas sobre a própria capacidade. Reparamos que alguns amigos já desistiram. Somos obrigados a enfrentar a solidão, as surpresas com as curvas desconhecidas, e depois de alguns tombos sem ninguém por perto para nos ajudar, terminamos por nos perguntar se vale a pena tanto esforço.

Mikhail deu uma pausa.

– Vale a pena continuar. E continuaremos, mesmo sabendo que nossa alma, embora seja eterna, está neste momento presa na teia do tempo, com suas oportunidades e limitações. Tentaremos, enquanto for possível, nos libertar desta teia. Quando não for mais possível, e voltarmos à história que nos contaram, ainda nos lembraremos de nossas batalhas, e estaremos prontos para retomar o combate se as condições voltarem a ser favoráveis. Amém.

– Amém – repetiram todos.

– Preciso conversar com a Senhora – disse o rapaz louro com cabelos cortados como um índio americano.

– Hoje não. Estou cansado.

Houve um murmúrio geral de decepção: ao contrário do restaurante armênio, as pessoas ali sabiam da história de Mikhail, e da "presença" que julgava ter ao seu lado. Ele levantou-se e foi até a cozinha pegar um copo d'água. Eu o acompanhei.

Perguntei como tinham conseguido aquele apartamento; ele me explicou que a lei francesa permite a qualquer cidadão usar legalmente um imóvel que não esteja sendo utilizado por seu proprietário. Ou seja, era uma "ocupação".

A idéia de que Marie estava me esperando, começava a me incomodar. Ele me segurou pelo braço.

– Você hoje disse que ia para a estepe. Vou repetir só mais uma vez: por favor, leve-me junto. Preciso voltar ao meu país, nem que seja por pouco tempo, mas não tenho dinheiro. Estou com saudade do meu povo, da minha mãe, dos meus amigos. Poderia dizer "a voz me diz que irá precisar de mim", mas isso não é verdade – você pode encontrar Esther sem qualquer problema e sem qualquer ajuda. Entretanto, preciso alimentar-me com a energia de minha terra.

– Posso dar-lhe dinheiro para uma passagem de ida e volta.

– Sei que pode. Mas gostaria de estar lá com você, caminhar até a aldeia onde ela se encontra, sentir o vento no rosto, ajudá-lo a percorrer o caminho que o leva ao encontro da mulher que ama. Ela foi – e continua sendo – muito importante para mim. Ao ver suas mudanças e sua determinação, aprendi muito, e quero continuar aprendendo. Lembra-se que falei das "histórias não terminadas"? Eu gostaria de estar ao seu lado até o momento em que a casa onde está aparecer diante de nós. Assim, terei vivido até o final este período da sua – e da minha – vida. Quando a casa aparecer, eu o deixarei só.

Não sabia o que dizer. Tentei mudar de assunto e perguntei quem eram as pessoas na sala.

– Gente que tem medo de acabar como vocês, uma geração que sonhou em mudar o mundo, mas terminou se rendendo à "realidade". Fingimos ser fortes porque somos fracos. Ainda somos poucos, muito poucos, mas espero que seja passageiro; as pessoas não podem ficar se enganando para sempre.

"E qual a sua resposta para a minha pergunta?"

– Mikhail, você sabe que estou sinceramente procurando me livrar de minha história pessoal. Se fosse algum tempo atrás, acharia muito mais confortável e muito mais conveniente viajar com você, que conhece a região, os costumes e os possíveis perigos. Mas agora penso que devo desenrolar sozinho o fio de Ariadne, sair do labirinto onde me meti. Minha vida mudou, parece que rejuvenesci 10 anos, 20 anos – e isso basta para querer partir em busca de uma aventura.

– Quando irá?

– Assim que conseguir o visto. Em dois ou três dias.

– A Senhora o acompanha. A voz diz que é o momento certo. Se mudar de idéia, me avise.

* * *

Passei pelo grupo de pessoas deitadas no chão, prontas para dormir. No caminho de casa, pensava que a vida era algo muito mais alegre do que eu acreditara ser quando se atinge minha idade; é sempre possível voltar a ser jovem e louco. Estava tão concentrado no momento presente, que me surpreendi quando vi que as pessoas não se afastavam para deixar-me passar, não abaixavam os olhos com medo. Ninguém sequer notou minha presença, mas eu gostava da idéia, a cidade era de novo a mesma que, quando criticaram Henry IV por trair sua religião protestante e casar-se com uma católica, ele respondeu: "Paris vale uma missa."

Valia muito mais que isso. Eu podia rever os massacres religiosos, os ritos de sangue, os reis, as rainhas, museus, castelos, pintores que sofriam, escritores que se embriagavam, filósofos que se suicidavam, militares que tramavam a conquista do mundo, traidores que com um gesto derrubavam uma dinastia, histórias que em dado momento tinham sido esquecidas, e agora eram relembradas – e recontadas.

Pela primeira vez em muito tempo, entrei em casa e não fui até o computador para verificar se alguém tinha me escrito, se havia alguma coisa inadiável para responder: nada era absolutamente inadiável. Não fui até o quarto ver se Marie estava dormindo, porque sabia que estava apenas fingindo dormir.

Não liguei a TV para ver os jornais da noite, porque eram as mesmas notícias que eu escutava desde criança: o país tal ameaça o outro, alguém traiu alguém, a economia vai mal, um grande escândalo passional acaba de acontecer, Israel e Palestina não chegaram a um acordo nestes 50 anos, outra bomba explodiu, um furacão deixou milhares de pessoas desabrigadas.

Lembrei-me que, naquela manhã, na falta de atentados terroristas, as grandes cadeias de notícias davam como manchete principal uma rebelião no Haiti. O que me interessava o Haiti? Que diferença isso ia fazer na minha vida, na vida de minha mulher, no preço do pão em Paris ou na tribo de Mikhail? Como podia passar cinco minutos da minha preciosa vida escutando sobre os rebeldes e o presidente, vendo as mesmas cenas de manifestação de rua sendo repetidas uma infinidade de vezes, e tudo aquilo sendo noticiado como se fosse um grande evento na humanidade: uma rebelião no Haiti! Eu tinha acreditado! Eu tinha assistido até o final! Realmente, os estúpidos merecem uma carteira de identidade própria, porque são eles que sustentam a estupidez coletiva.

Abri a janela, deixei entrar o ar gelado da noite, tirei a roupa, disse que podia controlar-me e resistir ao frio. Fiquei ali sem pensar nada, sentindo apenas que meus pés pisavam no chão, meus olhos estavam fixos na Torre Eiffel, meus ouvidos escutavam cães, sirenes, conversas que não conseguia entender direito.

Eu não era eu, eu não era nada – e isso me parecia maravilhoso.

– Você está estranha.

– Como é que estou estranha?

– Você parece triste.

– Mas eu não estou triste. Estou contente.

– Está vendo? O tom da sua voz é falso, você está triste comigo, mas não ousa dizer nada.

– Por que estaria triste?

– Porque cheguei tarde e bêbado ontem. Você nem sequer me perguntou aonde fui.

– Não me interessa.

– Por que não interessa? Eu não comentei que ia sair com Mikhail?

– E você não saiu?

– Saí.

– Pois então, o que quer que eu pergunte?

– Você não acha que, quando o seu namorado volta tarde, e você diz que o ama, devia pelo menos tentar saber o que aconteceu?

– O que aconteceu?

– Nada. Saí com ele e um grupo de amigos.

– Então pronto.

– Você acredita nisso?

– Claro que acredito.

– Acho que você não me ama mais. Não está com ciúmes. Está indiferente. É normal que chegue às duas da manhã?

– Você não diz que é um homem livre?

– Claro que sou.

– Então, é normal que chegue às duas da manhã. E que faça o que bem entender. Se eu fosse sua mãe, estaria preocupada, mas você é adulto, não é? Os homens precisam parar de se comportar como se as mulheres tivessem de tratá-los como filhos.

– Não falo deste tipo de preocupação. Falo de ciúmes.

– Você ficaria mais contente se eu fizesse uma cena agora, no café da manhã?

– Não faça isso, os vizinhos vão escutar.

– Pouco me importa os vizinhos: não faço porque não tenho a menor vontade de fazer. Custou, mas terminei aceitando o que me disse em Zagreb, e estou tentando me acostumar com a idéia. Entretanto, se isso lhe deixa contente, eu posso fingir que estou com ciúmes, aborrecida, enlouquecida.

– Você está estranha, como eu disse. Começo a achar que não tenho mais nenhuma importância em sua vida.

– E eu começo a achar que esqueceu que tem um jornalista esperando na sala, e pode estar escutando nossa conversa.

S im, o jornalista. Colocar o piloto automático, porque já sei as perguntas que fará. Sei como começa a entrevista ("falemos de seu novo livro, qual é a mensagem principal"), sei o que vou responder ("se eu quisesse passar uma mensagem, escreveria uma frase, não um livro").

Sei que perguntará o que penso da crítica, que geralmente é muito dura com meu trabalho. Sei que terminará nossa conversa com a frase: "e já está escrevendo um novo livro? Quais são seus próximos projetos?" Ao que responderei: "isso é segredo".

A entrevista começa como esperado:

– Falemos do seu novo livro. Qual a mensagem principal?

– Se eu quisesse passar uma mensagem, escreveria uma frase apenas.

– E por que escreve?

– Porque esta é a maneira que encontrei para dividir com os outros minhas emoções.

A frase fazia também parte do piloto automático, mas eu paro e me corrijo:

– Entretanto, esta história pode ser contada de maneira diferente.

– Uma história que podia ser contada de maneira diferente? Quer dizer que não está satisfeito com *Tempo de rasgar, tempo de costurar*?

– Estou muito satisfeito com o livro, mas insatisfeito com a resposta que acabo de dar. Por que escrevo? A resposta verdadeira é a seguinte: escrevo porque quero ser amado.

O jornalista me olhou com um ar de suspeita: que tipo de declaração pessoal era aquela?

– Escrevo porque, quando era adolescente, não sabia jogar bem futebol, não tinha carro, não tinha uma boa mesada, não tinha músculos.

Eu fazia um esforço imenso para continuar. A conversa com Marie tinha me lembrado de um passado que já não fazia mais sentido, era preciso falar sobre minha verdadeira história pessoal, livrar-me dela. Continuei:

– Tampouco usava roupas da moda. As meninas da minha turma só se interessavam por isso, e não conseguia que prestassem atenção em mim. À noite, quando meus amigos estavam com suas namoradas, eu passei a usar meu tempo livre para criar um mundo onde pudesse ser feliz: meus companheiros eram os escritores e seus livros. Um belo dia escrevi um poema para uma das moças da rua onde morava. Um amigo descobriu-o em meu quarto, roubou-o e, quando estávamos todos reunidos, mostrou para a turma inteira. Todos riram, todos acharam aquilo ridículo – eu estava apaixonado!

"A moça a quem dedicara o poema não riu. Na tarde seguinte, quando fomos ao teatro, ela deu um jeito de sentar-se ao meu lado e segurou minha mão. Saímos dali de mãos dadas; eu, que me achava feio, fraco, sem roupas da moda, estava com a menina mais cobiçada da turma."

Dei uma pausa. Era como se estivesse voltando ao passado, ao momento em que a mão dela tocava minha mão, e mudava minha vida.

– Tudo por causa de um poema – continuei. – Um poema me fez entender que, escrevendo, demonstrando o meu mundo invisível, eu podia competir em igualdade de condições com o mundo visível de meus amigos: a força física, as roupas da moda, os carros, a superioridade no esporte.

O jornalista estava um pouco surpreso, e eu mais ainda. Mas ele se controla, e segue adiante:

– Por que acha que a crítica é tão dura com seu trabalho?

O piloto automático, neste momento, responderia: "basta ler a biografia de qualquer clássico no passado – e não me entenda mal, não estou me comparando – para descobrir que a crítica sempre foi implacável com eles. A razão é simples: os críticos são extremamente inseguros, não sabem direito o que está acontecendo, são democráticos quando falam de política, mas são fascistas quando falam de cultura. Acham que o povo sabe escolher seus governantes, mas não sabe escolher filmes, livros, música."

– Você já ouviu falar da Lei de Jante?

Pronto. Eu tinha de novo saído do meu piloto automático, mesmo sabendo que dificilmente o jornalista iria publicar minha resposta.

– Não, nunca ouvi – responde ele.

– Embora ela já exista desde o início da civilização, foi enunciada oficialmente apenas em 1933 por um escritor dinamarquês. Na pequena cidade de Jante, os donos do poder criam dez mandamentos ensinando como as pessoas devem se comportar, e pelo visto isso vale não apenas em Jante, mas em qualquer lugar do mundo. Se tivesse que resumir todo o texto em apenas uma frase, eu diria: "a mediocridade e o anonimato são a melhor escolha. Se agir assim, você jamais terá grandes problemas em sua vida. Mas se tentar ser diferente..."

– Gostaria de saber os mandamentos de Jante – interrompe o jornalista, parecendo genuinamente interessado.

– Não tenho aqui, mas posso resumir o texto completo.

Fui até meu computador e imprimi uma versão condensada e editada:

Você não é ninguém, não ouse pensar que sabe mais que nós. Você não tem nenhuma importância, não consegue fazer nada direito, seu trabalho é insignificante, não nos desafie e poderá viver feliz. Sempre leve a sério o que dizemos, e jamais ria de nossas opiniões.

O jornalista dobrou o papel e colocou-o em seu bolso.

– Tem razão. Se você não é nada, se seu trabalho não tem repercussão, então ele merece ser elogiado. Mas quem sair da mediocridade, fizer sucesso, está desafiando a lei, merece ser punido.

Que bom que ele chegara sozinho a esta conclusão.

– Não só os críticos – eu completei. – Muito mais gente do que você pensa.

No meio da tarde, telefonei para o celular de Mikhail.

– Vamos juntos.

Ele não demonstrou qualquer surpresa; apenas agradeceu e perguntou o que me tinha feito mudar de idéia.

– Durante dois anos, minha vida se resumia ao Zahir. Desde que encontrei você, passei a percorrer um caminho que tinha sido esquecido, uma estrada de ferro abandonada, com grama crescendo entre os trilhos, mas que ainda serve para os trens passarem. Como não cheguei à estação final, não tenho como parar no caminho.

Ele perguntou se tinha conseguido meu visto; expliquei que o Banco de Favores era muito ativo em minha vida: um amigo russo havia telefonado para sua namorada, diretora de uma cadeia de jornais no Casaquistão. Ela ligara para o embaixador em Paris, e até o final da tarde devia estar tudo pronto.

– Quando partimos?

– Amanhã. Só preciso do seu verdadeiro nome, para poder comprar os bilhetes – a agência está esperando na outra linha.

– Antes de desligar, quero dizer algo: gostei do seu exemplo sobre a distância dos trilhos, gostei do seu exemplo da estrada de ferro abandonada. Mas, neste caso, não creio que esteja me convidando por isso. Acho que é por causa de um texto que você escreveu, que sei de memória, sua mulher costumava citá-lo, e é muito mais romântico do que o tal "Banco de Favores":

Um guerreiro da luz nunca esquece a gratidão.

Durante a luta, foi ajudado pelos anjos; as forças celestiais colocaram cada coisa em seu lugar, e permitiram que ele pudesse dar o melhor de si. Por isso, quando o sol se põe, ajoelha-se e agradece o Manto Protetor a sua volta.

Os companheiros comentam: "como tem sorte!" Mas ele entende que "sorte" é saber olhar para os lados, e ver onde estão seus amigos: porque foi através do que eles diziam, que os anjos conseguiram se fazer ouvir.

– Nem sempre me lembro do que escrevi, mas fico contente. Até logo, preciso dar seu nome para a agência de viagens.

*V*inte minutos para que a central de táxis atenda o telefone. A voz mal-humorada me diz que preciso esperar outra meia hora. Marie parece estar alegre em seu exuberante e sensual vestido preto, e lembro-me do restaurante armênio, quando o senhor falou em ficar excitado ao saber que sua mulher era desejada pelos outros. Sei que na festa de gala todas as mulheres estarão vestidas de tal maneira que os seios e as curvas se transformem no centro de atenção dos olhares, e seus maridos ou namorados, sabendo que elas são desejadas, pensam: "isso, desfrutem de longe, porque ela está comigo, eu posso, eu sou o melhor, eu consegui algo que vocês gostariam de ter."

Não vou realizar nenhum negócio, não vou assinar contratos, não vou dar entrevistas – apenas assistirei a uma cerimônia, pagarei um depósito que foi feito no Banco de Favores, jantarei com alguém aborrecido ao meu lado, que vai me perguntar de onde vem a inspiração dos meus livros. Do outro lado, possivelmente estará um par de seios à mostra, talvez a mulher de um amigo meu, e eu terei que me controlar o tempo todo para não abaixar os olhos, porque se fizer isso por um segundo, ela vai contar ao marido que eu a estava tentando seduzir. Enquanto esperamos o táxi, faço uma lista de assuntos que podem surgir:

A) comentários sobre a aparência: "como você está elegante", "como seu vestido é bonito", "sua pele está ótima". Quando voltam para casa, comentam com o outro que todos estavam malvestidos, com aparência doentia.

B) viagens recentes: "você tem que conhecer Aruba, é fantástico", "nada melhor que uma noite de verão em Cancun, tomando Martini à beira do mar". Na verdade, ninguém se divertiu muito, apenas tiveram a sensação de liberdade por alguns dias, e são obrigados a gostar porque gastaram dinheiro.

C) mais viagens, desta vez para lugares que podem ser criticados: " estive no Rio de Janeiro, não pode imaginar que cidade violenta", "é impressionante a miséria nas ruas de Calcutá". No fundo, foram apenas para sentir-se poderosos enquanto estavam longe, e privilegiados quando voltam para a realidade mesquinha de suas vidas, onde pelo menos não há miséria nem violência.

D) novas terapias: "suco de grama de trigo durante uma semana melhora a aparência dos cabelos", "fiquei dois dias em um *spa* em Biarritz, a água abre os poros e elimina toxinas". Na semana seguinte, descobrirão que grama de trigo não possui nenhuma qualidade, e que qualquer água quente abre os poros e elimina as toxinas.

E) os outros: "faz tempo que não vejo fulano, o que andará fazendo?", "soube que tal senhora vendeu seu apartamento porque está em situação difícil". Pode-se falar dos que não foram convidados para a festa em questão, pode-se criticar desde que no final se faça um ar inocente, piedoso, e termine-se dizendo "mas, mesmo assim, é uma pessoa extraordinária".

F) pequenas reclamações pessoais, só para dar um pouco de sabor à mesa: "gostaria que algo de novo acontecesse em minha vida", "estou preocupadíssimo com meus filhos, aquilo que escutam não é música, o que lêem não é literatura". Ficam aguardando comentários de gente com o mesmo problema, sentem-se menos sós, e saem alegres.

G) em festas intelectuais, como deve ser a de hoje, discutire-
mos a guerra no Oriente Médio, os problemas do islamismo, a
nova exposição, o filósofo da moda, o livro fantástico que ninguém conhece, a música que já não é a mesma; daremos nossas
opiniões inteligentes, sensatas, completamente contrárias a tudo
que pensamos – sabemos o quanto nos custa ir a tais exposições,
ler estes livros insuportáveis, assistir a filmes aborrecidíssimos,
só para ter o que conversar em uma noite como esta.

O táxi chega e, enquanto nos dirigimos ao local, acrescento mais
uma coisa muito pessoal à minha lista: reclamar com Marie que
detesto jantares. Faço isso, ela diz que no final sempre termino
me divertindo e adorando – o que é verdade.

Entramos em um dos restaurantes mais chiques da cidade,
nos dirigimos a uma sala reservada ao evento – um prêmio literário do qual participei como jurado. Todos de pé, conversando,
alguns me cumprimentam, outros apenas me olham e comentam
alguma coisa entre si, o organizador do prêmio vem até mim, me
apresenta a pessoas que estão ali, sempre com a irritante frase:
"este você sabe quem é". Alguns sorriem e reconhecem, outros
sorriem apenas, não reconhecem, mas fingem que sabem quem
sou – porque admitir o contrário seria aceitar que o mundo em
que viviam não existe mais, que não estão acompanhando direito o que acontece de importante agora.

Lembro-me da "tribo" da noite anterior e acrescento: os
estúpidos deviam ser todos colocados em um navio em alto-mar,
tendo festas todas as noites, e sendo indefinidamente apresenta-
dos aos outros por vários meses, até que conseguissem lembrar
quem é quem.

Fiz meu catálogo de pessoas que freqüentam eventos como
esse. Dez por cento são os "Sócios", gente com poder de deci-

são, que saiu de casa por causa do Banco de Favores, que estão
atentos a qualquer coisa que possa beneficiar seus trabalhos,
onde cobrar, onde investir. Logo percebem se o evento é provei-
toso ou não, sempre são os primeiros a deixar a festa, jamais perdem tempo.

Dois por cento são os "Talentos", que têm realmente um
futuro promissor, conseguiram cruzar alguns rios, já percebe-
ram que existe o Banco de Favores e são clientes em potencial;
podem prestar serviços importantes, mas ainda não estão em
condição de decidir ou tomar decisões. São agradáveis com
todos, porque não sabem exatamente com quem estão falando,
e são muito mais abertos que os Sócios, pois qualquer caminho,
para eles, pode levar a algum lugar.

Três por cento são os "Tupamaros", em homenagem a um
antigo grupo de guerrilheiros uruguaios: conseguiram se infil-
trar no meio daquela gente, estão loucos por um contacto, não
sabem se devem ficar ali ou ir para outra festa que está acontecendo ao mesmo tempo, são ansiosos, querem logo mostrar que
têm talento, mas não foram convidados, não galgaram as primeiras montanhas, e, assim que são identificados, deixam de receber atenção.

Finalmente, os outros 85% são os "Bandejas" – batizei com
este nome porque, como não existe festa sem este utensílio, não
existe evento sem eles. Os Bandejas não sabem exatamente o que
está acontecendo, mas sabem que é importante estar ali, estão na
lista dos promotores porque o sucesso de algo depende também
da quantidade de pessoas que aparece. São ex-alguma coisa
importante – ex-banqueiros, ex-diretores, ex-maridos de alguma
mulher famosa, ex-mulheres de algum homem que hoje está em
uma situação de poder. São condes em um lugar onde não existe
mais monarquia, princesas e marquesas que vivem de alugar seus

castelos. Vão de uma festa para a próxima, de um jantar para outro – fico me perguntando, será que não enjoam nunca?

Quando comentei recentemente esse assunto com Marie, ela me disse que há pessoas viciadas em trabalho e pessoas viciadas em diversão. Ambas estão infelizes, achando que perdem alguma coisa, mas não conseguem parar com o vício.

Uma mulher loura, jovem e bonita, se aproxima quando estou conversando com um dos organizadores de um congresso de cinema e literatura, e comenta que gostou muito de *Tempo de rasgar, tempo de costurar*. Diz que vem de um país báltico, que trabalha com filmes. Imediatamente é identificada pelo grupo como Tupamaro, porque apontou em uma direção (eu) mas está interessada no que acontece ao lado (os organizadores do congresso). Embora tenha cometido este erro quase imperdoável, ainda existe a chance de que seja um Talento inexperiente – a organizadora do congresso pergunta o que quer dizer com "trabalhar em filmes". A moça explica que escreve crítica para um jornal, tem um livro publicado (sobre cinema? Não, sobre sua vida, sua curta e desinteressante vida, imagino).

E, pecado dos pecados: é rápida demais, pergunta se pode ser convidada para o evento deste ano. O organizador diz que a minha editora em seu país, que é uma mulher influente e trabalhadora (e muito bonita, penso comigo mesmo), já foi convidada. Voltam a conversar comigo, a Tupamaro permanece alguns minutos sem saber o que dizer, e logo se afasta.

A maior parte dos convidados de hoje – Tupamaros, Talentos e Bandejas – pertencem ao meio artístico, já que se trata de um prêmio literário: apenas os Sócios variam entre patrocinadores e pessoas ligadas a fundações que apóiam museus, concertos de música clássica e artistas promissores. Depois de várias conversas sobre quem exerceu mais pressão para ganhar o prêmio daquela noite, o apresentador sobe ao palco, pede que todos sentem em seus lugares marcados nas mesas (todos nos sentamos), faz algumas piadas (é parte do ritual, e todos rimos), e diz que os vencedores serão anunciados entre a entrada e o primeiro prato.

Vou para a mesa principal; isso me permite ficar longe de Bandejas, mas também me impede de conviver com entusiasmados e interessantes Talentos. Estou entre a diretora de uma companhia de carros, que patrocina a festa, de uma herdeira que resolveu investir em arte – para minha surpresa, nenhuma das duas usando decotes provocantes. A mesa ainda conta com um diretor de uma empresa de perfumes, um príncipe árabe (que devia estar passando pela cidade, e foi fisgado por uma das promotoras, para dar prestígio ao evento), um banqueiro israelense que coleciona manuscritos do século XIV, o organizador da noite, o cônsul da França em Mônaco, e uma moça loura que não sei bem o que está fazendo ali, mas deduzo que é uma potencial amante do organizador.

A toda hora tenho que colocar meus óculos e, disfarçadamente, ler o nome dos meus vizinhos (devia estar no tal navio que imaginei, e ser convidado para esta mesma festa uma dezena de vezes, até decorar os nomes dos convidados). Marie, como manda o protocolo, foi colocada em outra mesa; alguém, em algum momento da história, inventou que em banquetes formais os casais devem sentar separados, deixando no ar a dúvida se a pessoa que está ao nosso lado é casada, solteira, ou casada mas disponível. Ou então achou que casais, quando sentam juntos, ficam conversando entre si – mas se fosse assim, para que sair, tomar um táxi e ir a um banquete?

Como havia previsto em minha lista de conversas em festas, o assunto começa a girar em torno de amenidades culturais – que maravilha tal exposição, que inteligente a crítica de fulano. Eu quero concentrar-me na entrada, caviar com salmão e ovo, mas a toda hora sou interrompido pelas famosas perguntas sobre a carreira de meu novo livro, de onde vem minha inspiração ou se estou trabalhando em um novo projeto. Todos demonstram uma grande cultura, todos citam – fingindo que é por acaso, claro – alguma pessoa famosa que conhecem e da qual são amigos íntimos. Todos sabem discorrer com perfeição sobre o estado da política atual ou dos problemas que a cultura enfrenta.

– Que tal se falássemos de alguma coisa diferente?

A frase sai sem querer. Todos na mesa ficam quietos: afinal de contas, é de péssima educação interromper os outros, e é pior ainda querer concentrar a atenção em si mesmo. Mas parece que o passeio de ontem como mendigo pelas ruas de Paris me causou algum dano irreversível, e não posso mais tolerar este tipo de conversa.

– Podemos falar sobre o acomodador: um momento de nossas vidas que desistimos de seguir adiante e nos conformamos com o que temos.

Ninguém se interessa muito. Resolvo mudar de assunto.

– Podemos falar da importância de esquecer a história que nos contaram, e tentar viver algo novo. Fazer uma coisa diferente por dia – como conversar com a pessoa ao nosso lado no restaurante, visitar um hospital, colocar o pé em uma poça d'água, escutar o que o outro tem para dizer, deixar a energia do amor circular, em vez de tentar colocá-la em um pote e guardá-la em um canto.

– Isso significa adultério? – pergunta.

– Não. Isso significa ser um instrumento do amor, e não o seu dono. Isso nos garante que estamos com alguém porque assim desejamos, e não porque as convenções nos obrigam.

Com toda delicadeza, mas com uma certa ironia, o cônsul da França em Mônaco me explica que as pessoas daquela mesa exerciam esse direito e essa liberdade. Todos concordam, embora ninguém acredite que seja verdade.

– Sexo! – grita a loura que ninguém sabe direito o que faz. –
Por que não falamos de sexo? Muito mais interessante, e menos
complicado!

Pelo menos é natural em seu comentário. Uma das minhas
vizinhas de mesa dá um riso irônico, mas eu aplaudo.

– Sexo é realmente mais interessante, mas não creio que seja algo diferente, você não acha? Além do mais, falar sobre isso
não é mais proibido.

– Além de ser de um extremo mau gosto – diz uma de minhas vizinhas.

– Poderia então saber o que é proibido? – O organizador
está começando a sentir-se desconfortável.

– Dinheiro, por exemplo. Todos nós aqui temos, ou fingimos
ter dinheiro. Acreditamos que fomos convidados porque somos
ricos, famosos, influentes. Mas já nos ocorreu usar este tipo de
jantar para saber realmente o quanto ganha cada um? Já que
somos tão seguros de nós mesmos, tão importantes, que tal olhar
nosso mundo como ele é, e não como imaginamos que seja?

– Aonde o senhor quer chegar? – pergunta a executiva de
carros.

– É uma longa história: podia começar falando de Hans e
Fritz sentados em um bar em Tóquio, e passar por um nômade
mongol que diz que precisamos esquecer o que achamos ser,
para que possamos realmente ser o que somos.

– Não entendi nada.

– Tampouco me expliquei, mas vamos ao que interessa: quero saber quanto cada um ganha. O que significa, em termos de
dinheiro, estar sentado na mesa mais importante da sala.

Há um momento de silêncio – meu jogo não vai seguir
adiante. As pessoas me olham assustadas: a situação financeira é
um tabu maior que sexo, maior do que perguntar sobre traições,
corrupção, intrigas parlamentares.

Mas o príncipe do país árabe, talvez aborrecido por tantas recepções e banquetes com conversas vazias, talvez porque aquele dia tivesse recebido uma notícia de seu médico dizendo que ia morrer, ou seja lá por que razão, resolve levar a conversa adiante:

– Ganho em torno de 20 mil euros por mês, conforme o parlamento de meu país aprovou. Isso não corresponde a quanto gasto, porque tenho uma verba irrestrita que chamam "representação". Ou seja, estou aqui com o carro e motorista da embaixada, a roupa que estou usando pertence ao governo, amanhã viajo para outro país europeu em um jato privado, com piloto, combustível e taxas de aeroporto sendo descontados da verba de representação.

E conclui:

– A realidade visível não é uma ciência exata.

Se o príncipe falou de maneira tão honesta, e sendo ele a pessoa hierarquicamente mais importante da mesa, ninguém pode deixar Sua Alteza constrangida. É preciso que participem do jogo, da pergunta, do constrangimento.

– Não sei exatamente quanto ganho – diz o organizador, um dos clássicos representantes do Banco de Favores, que as pessoas chamam de "lobista". – Algo em torno de 10 mil euros, mas tenho também a verba de representação das organizações que presido. Posso descontar tudo: jantares, almoços, hotéis, passagens aéreas, às vezes até mesmo roupas, embora não tenha um jato particular.

O vinho acabou, ele faz um sinal, nossos copos tornam a encher-se. Agora era a vez da diretora da firma de carros, que tinha detestado a idéia, mas que parecia começar a se divertir.

– Penso que também ganho em torno disso, com a mesma verba ilimitada de representação.

Um por um, as pessoas foram falando o quanto ganhavam. O banqueiro era o mais rico de todos: 10 milhões de euros por ano, além de ter as ações de seu banco constantemente valorizadas. Quando chegou o momento da tal moça loura que não tinha sido apresentada, ela recuou.

– Isso faz parte do meu jardim secreto. Não interessa a ninguém.

– Claro que não interessa a ninguém, mas estamos em um jogo – diz o organizador do evento.

A moça recusou-se a participar. Ao recusar, colocou-se em um patamar superior a todos: afinal, era a única que tinha segredos no grupo. Ao colocar-se em um patamar superior, passou a ser olhada com desprezo pelos demais. Para não sentir-se humilhada por causa do seu miserável salário, ela terminara humilhando todo mundo, fingindo-se misteriosa, sem dar-se conta que a maioria das pessoas ali vivia à beira do abismo, penduradas nas tais verbas de representação, que podiam desaparecer da noite para o dia.

Como era de se esperar, a pergunta terminou em mim.

– Depende. Se lanço um novo livro, pode ser algo em torno de cinco milhões de dólares naquele ano. Se não lanço nada, fica em torno de dois milhões de direitos remanescentes dos títulos publicados.

– Você perguntou isso porque queria dizer o quanto ganhava – disse a moça do "jardim secreto". – Ninguém está impressionado.

Ela havia percebido seu passo em falso, e agora tentava corrigir a situação, partindo para o ataque.

– Ao contrário – interrompeu o príncipe. – Imaginava que um artista de sua projeção fosse muito mais rico.

Ponto para mim. A moça loura não tornaria a abrir a boca pelo resto da noite.

A conversa sobre dinheiro quebrou uma série de tabus, já que o salário era o pior de todos. O garçom começou a aparecer com mais freqüência, as garrafas de vinho passaram a ser esvaziadas com uma rapidez incrível, o apresentador/organizador subiu ao palco excessivamente alegre, anunciou o vencedor, deu-lhe o prêmio e voltou logo para a conversa, que não havia cessado, apesar da boa educação mandar que calemos a boca enquanto alguém está falando. Falamos sobre o que fazíamos com nosso dinheiro (na maior parte das vezes, comprar "tempo livre", viajando ou praticando algum esporte).

Pensei em puxar a conversa sobre como gostariam que fossem seus funerais – a morte era um tabu tão grande quanto o dinheiro. Mas o clima estava tão alegre, as pessoas tão comunicativas, que resolvi ficar calado.

– Estão falando de dinheiro, mas não sabem o que é dinheiro – disse o banqueiro. – Por que as pessoas acreditam que um papel pintado, um cartão de plástico ou uma moeda fabricada em metal de quinta categoria tem algum valor? Pior ainda: você sabe que seu dinheiro, seus milhões de dólares, são apenas impulsos eletrônicos, não sabe?

Claro que todos sabiam.

– Pois, no início, a riqueza era o que vemos nestas senhoras – continuou ele. – Ornamentos feitos de coisas que eram raras, fáceis de transportar, possíveis de serem contados e divididos. Pérolas, grãos de ouro, pedras preciosas. Carregávamos todos nossa fortuna em lugar visível.

"Eram por sua vez trocados por gado, ou grãos, já que ninguém sai carregando gado ou sacos de trigo pelas ruas. O engraçado é que ainda continuamos nos comportando como uma tribo primitiva – carregamos ornamentos para mostrar o quão rico somos, embora muitas vezes tenhamos mais ornamentos que dinheiro."

– É o código da tribo – disse eu. – Os jovens do meu tempo usavam cabelos longos, os jovens de hoje usam piercing: ajuda a identificar quem pensa como eles, embora não sirva para pagar nada.

– Podem os impulsos eletrônicos que temos pagar alguma hora extra de vida? Não. Pode pagar o retorno dos entes queridos que já partiram? Não. Pode pagar amor?

– Amor pode – disse, em tom de brincadeira, a diretora da companhia de carros.

Seus olhos denotavam uma tristeza grande. Lembrei-me de Esther e da minha resposta ao jornalista, na entrevista que dera de manhã. Apesar de nossos ornamentos e nossos cartões de crédito, ricos, poderosos, inteligentes, sabíamos que no fundo tudo isso era feito em busca de amor, de carinho, de estar com alguém que nos amasse.

– Nem sempre – disse o diretor da fábrica de perfumes, olhando para mim.

– Tem razão, nem sempre – e como você está me olhando, entendo o que quer dizer, que minha mulher me deixou embora eu seja um homem rico. Mas quase sempre. Por sinal, alguém nesta mesa sabe quantos gatos e quantos postes existem na parte de trás de uma nota de dez dólares?

Ninguém sabia, e ninguém estava interessado. O comentário sobre amor havia desfeito por completo o clima de alegria, e voltamos a conversar sobre prêmios literários, exposições em museus, o filme que acabara de ser lançado, a peça de teatro que estava tendo um sucesso maior que o esperado.

— Como foi a sua mesa?

— Normal. O de sempre.

— Pois eu consegui provocar uma discussão interessante sobre dinheiro. Mas que acabou em tragédia.

— A que horas você viaja?

— Saio daqui às sete e meia da manhã. Você também viaja para Berlim, podemos tomar o mesmo táxi.

— Para onde está indo?

— Você sabe. Você não me perguntou, mas sabe.

— Sim, eu sei.

— Como também sabe que estamos dizendo adeus neste momento.

— Podíamos voltar ao tempo em que o conheci: um homem em frangalhos por alguém que partiu, e uma mulher perdidamente apaixonada por alguém que morava ao lado. Podia tornar a dizer o que lhe disse um dia: vou lutar até o final. Lutei, e perdi — agora pretendo curar minhas feridas e partir para outra.

— Também lutei, também perdi. Não estou tentando costurar o que se rasgou: apenas quero ir até o final.

— Sofro todos os dias, você sabia disso? Sofro há muitos meses, tentando mostrar como o amo, como as coisas são importantes apenas quando você está ao meu lado.

"Mas agora, mesmo sofrendo, decidi que basta. Acabou. Cansei. Desde aquela noite em Zagreb, abaixei a guarda e disse para mim mesma: se vier o próximo golpe, que venha. Que me coloque na lona, que eu saia nocauteada, um dia vou me recuperar."

– Você encontrará alguém.

– Claro que sim: sou jovem, bonita, inteligente e desejada. Mas será impossível viver tudo aquilo que vivi com você.

– Você encontrará outras emoções. E saiba, mesmo que não acredite, que eu a amei enquanto estivemos juntos.

– Tenho certeza, mas isso não diminui em nada minha dor. Iremos amanhã em táxis separados: detesto despedidas, principalmente em aeroportos ou estações de trem.

O retorno a Ítaca

*D*ormiremos aqui hoje, e amanhã partiremos a cavalo. Meu carro não consegue passar pela areia da estepe.

Estamos em uma espécie de bunker que parecia remanescente da Segunda Guerra Mundial. Um senhor, com sua mulher e sua neta nos deram as boas-vindas e nos mostraram um quarto simples, mas limpo.

Dos continuou:

– E não esqueça: escolha um nome.

– Não creio que isso lhe interesse – disse Mikhail.

– Claro que interessa – insistiu Dos. – Estive com sua mulher recentemente. Sei como pensa, sei o que descobriu, sei o que espera.

A voz de Dos era gentil e afirmativa ao mesmo tempo. Sim, eu escolheria um nome, eu seguiria exatamente aquilo que me era sugerido, eu continuaria a deixar minha história pessoal de lado e entrar na minha lenda – nem que fosse simplesmente por puro cansaço.

Estava exausto, dormira apenas duas horas na noite anterior: meu corpo ainda não tinha conseguido acostumar-se à gigantesca diferença horária. Chegara em Almaty por volta das 11 da noite – hora local – quando na França eram seis da tarde. Mikhail me deixara no hotel, cochilei um pouco, acordei de madrugada, olhei as luzes lá embaixo, pensei que em Paris era hora de sair para jantar, estava com fome, perguntei se o serviço de quarto do hotel podia me servir alguma coisa: "Claro, mas o senhor deve fazer um esforço e tentar dormir, ou seu organismo irá continuar com os mesmos horários da Europa."

Para mim, a maior tortura que existe é ficar tentando dormir; comi um sanduíche e resolvi caminhar. Fiz a pergunta de sempre ao recepcionista do hotel: "É perigoso sair a essa hora?" Ele disse que não, e eu comecei a passear por aquelas ruas vazias, os becos estreitos, as avenidas largas, uma cidade como qualquer outra – com seus letreiros luminosos, seus carros de polícia que passavam de vez em quando, um mendigo aqui, uma prostituta ali. Eu precisava repetir constantemente em voz alta: "estou no Casaquistão!" Ou terminaria achando que era apenas em um bairro de Paris que não conhecia direito.

"Estou no Casaquistão!", dizia para a cidade deserta, até que uma voz respondeu:

– Claro que você está no Casaquistão.

Levei um susto. Ao meu lado, sentado em um banco de praça àquela hora da noite, um homem com uma mochila ao seu lado. Levantou-se, apresentou-se como Jan, nascido na Holanda, e completou:

– E sei o que veio fazer aqui.

Um amigo de Mikhail? Alguém da polícia secreta que estava me acompanhando?

– O que vim fazer?

– A mesma coisa que estou fazendo desde Istambul, na Turquia: percorrer a Rota da Seda.

Dei um suspiro de alívio. E resolvi continuar a conversa.

– A pé? Pelo que entendo, está atravessando a Ásia inteira.

– Precisava disso. Estava descontente com minha vida – tenho dinheiro, mulher, filhos, sou dono de uma fábrica de meias em Rotterdam. Durante um período, sabia pelo que estava lutando – a estabilidade de minha família. Agora já não sei mais; tudo que antes me deixava contente hoje me deixa entediado, aborrecido. Em nome do meu casamento, do meu amor por meus filhos, do meu entusiasmo pelo trabalho, resolvi tirar dois meses para mim mesmo, olhar minha vida de longe. Está dando resultado.

– Tenho feito a mesma coisa nestes meses mais recentes. Existem muitos peregrinos?

– Muitos. Muitíssimos. Existem também problemas de segurança, já que certos países estão em uma situação política muito complicada, e detestam os ocidentais. Mas a gente sempre dá um jeito: em todas as épocas, penso que os peregrinos são respeitados, depois de provar que não são espiões. Mas, pelo que entendo, não é esse o seu objetivo: o que está fazendo em Almaty?

– A mesma coisa que você: vim terminar um caminho. Também não conseguiu dormir?

– Acabo de acordar. Quanto mais cedo sair, mais chances tenho de alcançar a próxima cidade – caso contrário, terei que passar a próxima noite no frio da estepe, com o vento que não pára nunca.

– Boa viagem, então.

– Fique mais um pouco: preciso conversar, dividir minha experiência. A maioria dos peregrinos não fala inglês.

E começou a me contar sua vida, enquanto eu tentava me lembrar o que sabia da Rota da Seda, a antiga via de comércio que ligava a Europa aos países do Oriente. O caminho mais tradicional partia de Beirute, passava por Antioquia e ia até a margem do rio Amarelo, na China, mas na Ásia Central ela se transformava em uma espécie de teia, com estradas em muitas direções, de modo a permitir o estabelecimento de postos de comércio, que mais tarde se transformariam em cidades, que seriam destruídas por lutas entre tribos rivais, reconstruídas por seus habitantes, novamente destruídas e mais uma vez ressuscitadas. Embora por ali trafegasse praticamente tudo – ouro, animais exóticos, marfim, sementes, idéias políticas, grupos de refugiados das guerras civis, bandidos armados, exércitos privados para proteger as caravanas –, a seda era o produto mais raro, e o mais cobiçado. Fora graças a uma das ramificações da rota que o budismo tinha viajado da China até a Índia.

– Parti de Antioquia com apenas duzentos dólares – disse o holandês, depois de descrever montanhas, paisagens, tribos exóticas, constantes problemas com patrulhas e policiais de diversos países. – Não sei se entende o que quero dizer, mas precisava saber se era capaz de voltar a ser quem sou.

– Entendo mais do que pensa.

– Fui obrigado a mendigar, a pedir: para minha surpresa, as pessoas são muito mais generosas do que imaginava.

Mendigar? Eu olhei cuidadosamente sua mochila e sua roupa, para ver se achava o tal símbolo da "tribo", mas não vi nada.

– Alguma vez você esteve em um restaurante armênio em Paris?

– Estive em muitos restaurantes armênios, mas jamais em Paris.

– Conhece alguém chamado Mikhail?

– É um nome muito comum nesta região. Se conheci, não me lembro, e infelizmente não posso ajudá-lo.

– Não se trata disso. Estou apenas surpreso com certas coincidências. Parece que muitas pessoas, em muitos lugares do mundo, estão tomando consciência da mesma coisa e agindo de maneira muito semelhante.

– A primeira sensação, quando iniciamos este tipo de viagem, é achar que não vamos chegar nunca. A segunda, é sentir-se inseguro, abandonado, e pensar dia e noite em desistir. Mas se você resiste uma semana, vai até o final.

– Tenho peregrinado pelas ruas de uma mesma cidade, e só ontem cheguei a um lugar diferente. Posso abençoá-lo?

Ele me olhou de maneira estranha.

– Não estou viajando por motivos religiosos. Você é padre?

– Não sou padre, mas senti que devia abençoá-lo. Como você sabe, certas coisas não têm muita lógica.

O holandês chamado Jan, que eu jamais tornaria a ver nesta vida, abaixou a cabeça e fechou os olhos. Eu coloquei minhas mãos em seus ombros, e usando a minha língua natal – que ele jamais poderia entender – pedi que chegasse ao seu destino com segurança, que deixasse na Rota da Seda a tristeza e a sensação de que a vida não tem sentido, e que voltasse para sua família com a alma limpa e os olhos brilhando.

Ele me agradeceu, pegou sua mochila, virou-se em direção à China e recomeçou a caminhar. Voltei para o hotel pensando que jamais, em toda a minha vida, tinha abençoado alguém. Mas seguira um impulso, e o impulso estava certo, minha oração seria atendida.

No dia seguinte, Mikhail apareceu com um amigo chamado Dos, que iria nos acompanhar. Dos tinha um carro, conhecia minha mulher, conhecia as estepes, e também queria estar por perto quando eu chegasse até a aldeia onde Esther se encontrava.

Pensei em reclamar: antes era Mikhail, agora seu amigo, e quando finalmente chegasse ao final, haveria um grupo imenso me seguindo, aplaudindo ou chorando – dependendo do que me aguardava. Mas estava cansado demais para dizer qualquer coisa: no dia seguinte cobraria a promessa que me tinha sido feita – não deixar que ninguém fosse testemunha daquele momento.

Entramos no carro, seguimos algum tempo pela Rota da Seda – perguntaram se eu sabia o que era, comentei que tinha encontrado um peregrino aquela noite, e eles disseram que este tipo de viagem estava se tornando cada vez mais comum, em breve começaria a fazer muito bem para a indústria turística do país.

Duas horas depois deixamos a estrada principal para seguir por uma estrada secundária, até parar no bunker onde estamos agora, comendo peixe, escutando o vento suave que sopra da estepe.

– Esther foi muito importante para mim – explica Dos, mostrando-me a foto de um dos seus quadros onde podia ver um dos pedaços do tecido manchado de sangue. – Eu sonhava em sair daqui, como Oleg...

– Melhor chamar-me de Mikhail, ou ele vai se confundir.

– Sonhava em sair daqui, como muita gente de minha idade. Certo dia, Oleg – ou melhor, Mikhail – telefonou. Disse que sua benfeitora decidira passar algum tempo na estepe, e queria que eu a ajudasse. Aceitei, achando que ali estava minha chance, e que conseguiria os mesmos favores: visto, passagem e emprego na França. Pediu-me para ir para uma aldeia muito isolada, que ela conhecera em uma de suas visitas.

"Não perguntei a razão, apenas obedeci. No caminho, insistiu para que passássemos pela casa de um nômade que visitara anos antes: para minha surpresa, queria encontrar-se com meu avô! Foi recebida com a hospitalidade daqueles que vivem neste espaço infinito. Ele disse que ela pensava estar triste, mas na verdade sua alma estava alegre, livre, a energia do amor voltara a circular. Garantiu que isso afetaria o mundo inteiro, inclusive o seu marido. Ensinou-lhe muita coisa sobre a cultura da estepe, e pediu-me que lhe ensinasse o resto. Finalmente, decidiu que ela podia permanecer com o mesmo nome, ao contrário do que manda a tradição.

"E enquanto ela aprendia com meu avô, eu aprendia com ela, e entendi que não precisava viajar para longe, como Mikhail:

minha missão é estar neste espaço vazio – a estepe – compreender suas cores, transformá-las em quadros."

– Não entendo bem esta história de ensinar coisas para minha mulher. Seu avô havia dito que devemos esquecer tudo.

– Amanhã eu lhe mostro – disse Dos.

E no dia seguinte ele me mostrou, sem precisar me dizer nada. Eu vi a estepe sem fim, que parecia um deserto, mas estava cheia de vida escondida na vegetação rasteira. Vi o horizonte plano, o gigantesco espaço vazio, o ruído dos cascos dos cavalos, o vento calmo, e nada, absolutamente nada, à nossa volta. Como se o mundo tivesse escolhido aquele lugar para mostrar sua imensidão, simplicidade e complexidade ao mesmo tempo. Como se pudéssemos – e devêssemos – ser como a estepe, vazios, infinitos e cheios de vida ao mesmo tempo.

Olhei o céu azul, tirei os óculos escuros que estava usando, deixei-me inundar por aquela luz, por aquela sensação de que estava em lugar nenhum e em todos os lugares ao mesmo tempo. Cavalgamos em silêncio, parando apenas para dar de beber aos cavalos em riachos que só quem conhecia o local sabia como localizar. De vez em quando surgiam outros cavaleiros a distância, pastores com seus rebanhos, emoldurados pela planície e pelo céu.

Aonde estava indo? Não tinha a menor idéia, e não me interessava saber; a mulher que estava buscando encontrava-se naquele espaço infinito, eu podia tocar sua alma, escutar a melodia que cantava enquanto fazia os tapetes. Agora entendia por que tinha escolhido este lugar: nada, absolutamente nada para distrair a atenção, o vazio que tanto procurou, o vento que iria soprando pouco a pouco sua dor para longe. Será que ela imaginava que um dia eu estaria aqui, a cavalo, indo ao seu encontro?

A sensação do Paraíso, então, desce dos céus. E eu tenho a consciência de que estou vivendo um momento inesquecível na minha vida – esta consciência que muitas vezes atingimos depois que o momento mágico passou. Estou ali por inteiro, sem passado, sem futuro, inteiramente concentrado naquela manhã, na música das patas dos cavalos, na doçura com que o vento acaricia meu corpo, na graça inesperada de contemplar o céu, a terra e os homens. Entro em uma espécie de adoração, de êxtase, de gratidão por estar vivo. Rezo em voz baixa, escutando a voz da natureza, e entendendo que o mundo invisível sempre se manifesta no mundo visível.

Faço algumas perguntas ao céu, as mesmas perguntas que fazia à minha mãe quando era criança:

Por que amamos certas pessoas e detestamos outras?
Aonde vamos depois da morte?
Por que nascemos, se morremos no final?
O que significa Deus?

A estepe me responde com seu barulho constante de vento. E isso basta: saber que as perguntas fundamentais da vida jamais serão respondidas, e mesmo assim podemos seguir adiante.

Quando apareceram algumas montanhas no horizonte, Dos pediu que parássemos. Notei que havia um riacho passando ao lado.

– Vamos acampar aqui.

Retiramos as mochilas dos cavalos, montamos a tenda. Mikhail começou a cavar um buraco no chão.

– Assim faziam os nômades; cavar o buraco, encher seu fundo com pedras, colocar mais pedras em suas bordas, e teremos um lugar para acender a fogueira sem que o vento nos atrapalhe.

Ao sul, entre as montanhas e nós, apareceu uma nuvem de poeira, que logo entendi ser causada pelo galope de cavalos. Chamei a atenção para o que estava vendo: meus dois companheiros se levantaram bruscamente, e notei que ficaram tensos. Mas logo disseram entre si algumas palavras em russo, relaxaram, Dos voltou a montar a tenda, enquanto Mikhail acendia a fogueira.

– Pode me explicar o que está acontecendo?

– Embora pareça que estamos cercados de espaço vazio, você reparou que passamos por vários pastores, rios, tartarugas, raposas, cavaleiros? E mesmo que você tenha a sensação de ver tudo ao seu redor – de onde vêm estas pessoas? Onde estão suas casas? Onde guardam seus rebanhos?

"Esta idéia do vazio é uma ilusão: estamos constantemente observando e sendo observados. Para um estrangeiro que não consegue ler os sinais da estepe, tudo está sob controle, e tudo que consegue distinguir são os cavalos e cavaleiros.

"Para nós, que fomos educados aqui, sabemos ver as yurtas, casas circulares que se misturam com a paisagem. Sabemos ler o que acontece, observando como se movimentam e que direção os cavaleiros tomam; antigamente, a sobrevivência da tribo dependia desta capacidade – pois havia os inimigos, os invasores, os contrabandistas.

"E agora, a má notícia: descobriram que nos encaminhamos para a aldeia que fica perto daquelas montanhas, e enviam gente para matar o feiticeiro que vê aparições de meninas, e o homem que vem perturbar a paz da mulher estrangeira."

Deu uma gargalhada.

– Espere: daqui a pouco você entenderá.

Os cavaleiros se aproximavam. Em pouco tempo, já podia distinguir o que estava acontecendo.

– Não me parece normal. É uma mulher sendo perseguida por um homem.

– Não é normal. Mas faz parte de nossas vidas.

A mulher passou por nós empunhando um longo chicote, deu um grito e um sorriso para Dos – algo como uma saudação de boas-vindas – e começou a galopar em círculos em torno do lugar onde estávamos preparando o acampamento. O homem, suado mas sorridente, também nos cumprimentou rapidamente, enquanto tentava acompanhar a mulher.

– Nina devia ser mais gentil – disse Mikhail. – Não há necessidade.

– Justamente por isso: porque não há necessidade, ela não precisa ser gentil – respondeu Dos. – Basta ser bela e ter um bom cavalo.

– Mas ela faz isso com todo mundo.

– Eu a desmontei – disse Dos, orgulhoso.

– Se vocês estão falando inglês, é porque querem que eu compreenda.

A mulher ria, cavalgava cada vez mais rápido, e seus risos enchiam a estepe de alegria.

– É apenas uma forma de sedução. Chama-se Kyz Kuu, ou "derrubar a menina". Todos nós, em algum momento de nossa infância ou juventude, já participamos disso.

O homem que a perseguia estava cada vez mais próximo, mas todos nós podíamos ver que seu cavalo já não estava mais agüentando.

– Mais tarde, conversarei um pouco sobre o Tengri, a cultura da estepe – continuou Dos. – Mas como você está vendo esta cena, deixe-me explicar algo muito importante: aqui, nesta terra, quem comanda tudo é a mulher. Sempre a deixam passar. Ela recebe metade do dote, mesmo que tenha sido sua a decisão do divórcio. Cada vez que um homem vê uma delas usando turbante branco, significa que é mãe, temos que colocar nossa mão no coração e abaixar a cabeça em sinal de respeito.

– E o que tem isso a ver com "derrubar a menina"?

– Na aldeia que está na base das montanhas, um grupo de homens a cavalo se reuniu em volta desta moça, que se chama Nina, a mais desejada da região. Começavam o tal jogo, Kyz Kuu, criado em tempos ancestrais, quando as mulheres da estepe, chamadas amazonas, eram também guerreiras.

"Naquela época ninguém pedia permissão à família para casar-se: os pretendentes e a moça se reuniam em um lugar determinado, todos a cavalo. Ela dava algumas voltas em torno dos homens, rindo, provocando, ferindo-os com o chicote. Até que o mais bravo de todos resolvia persegui-la. Se conseguisse escapar por determinado período de tempo, este rapaz devia pedir à terra que o cobrisse para sempre – seria considerado um mau cavaleiro, a suprema vergonha de um guerreiro.

"Se chegasse perto, enfrentasse o chicote, aproximasse e atirasse a moça no chão, era um homem de verdade, podia beijá-la e casar-se com ela. Claro que, tanto no passado como no presente, as moças sabiam de quem escapar, e por quem deixar-se capturar."

Pelo visto, Nina estava querendo apenas divertir-se. Voltara a ganhar distância do rapaz, e seguia de volta em direção à aldeia.

– Veio apenas para exibir-se. Sabe que estamos chegando, e agora vai levar a notícia.

– Tenho duas perguntas. A primeira pode parecer uma bobagem: ainda escolhem seus noivos assim?

Dos disse que hoje em dia isso era apenas uma brincadeira. Como no Ocidente as pessoas se vestem de determinado jeito e vão a bares e lugares da moda, na estepe o jogo de sedução era o Kyz Kuu. Nina já tinha humilhado um grande número de rapazes, e já tinha se deixado desmontar por alguns – como acontece nas melhores discotecas do mundo.

– A segunda pergunta irá parecer mais idiota ainda: é na aldeia ao lado das montanhas que está minha mulher?

Dos fez um sinal afirmativo com a cabeça.

– E se estamos a apenas duas horas, por que não dormimos lá? A noite ainda vai demorar muito para descer.

– Estamos a duas horas, e existem dois motivos. O primeiro: mesmo que Nina não tivesse vindo até aqui, alguém já nos teria visto, e se encarregaria de dizer a Esther que estamos chegando. Assim, ela pode decidir se quer nos ver, ou se deseja partir por alguns dias para uma aldeia vizinha – neste caso, nós não a seguiremos.

Meu coração apertou.

– Depois de tudo que fiz para chegar até aqui?

– Não repita isso, ou você não terá entendido nada. O que lhe faz acreditar que o seu esforço deve ser recompensado com a submissão, o agradecimento, o reconhecimento da pessoa que ama? Você chegou até aqui porque este era o seu caminho, e não para comprar o amor de sua mulher.

Por mais injusto que pudesse parecer, ele tinha razão. Perguntei qual era o segundo motivo.

– Você ainda não escolheu seu nome.

– Isso não é importante – insistiu de novo Mikhail. – Ele não entende nem faz parte de nossa cultura.

– Isso é importante para mim – disse Dos. – Meu avô disse que eu devia proteger e ajudar a mulher estrangeira, da mesma maneira que ela me protegia e me ajudava. Eu devo a Esther a paz de meus olhos, e quero que seus olhos fiquem em paz.

"Ele terá que escolher um nome. Ele terá que esquecer para sempre a sua história de dor e sofrimento, e aceitar que é uma nova pessoa, que acaba de renascer, e renascerá todos os dias daqui por diante. Se não for assim, caso voltem a viver juntos, irá cobrar de volta tudo que um dia sofreu por causa dela."

– Já tinha escolhido um nome ontem à noite – respondi.

– Pois então aguarde o crepúsculo para dizer-me.

Assim que o sol se aproximou do horizonte, fomos para um lugar da estepe que era praticamente um deserto, com gigantescas montanhas de areia. Comecei a ouvir um barulho diferente, uma espécie de ressonância, de vibração intensa. Mikhail disse que ali era um dos poucos lugares do mundo em que as dunas cantavam:

– Quando estava em Paris, e contei isso, só acreditaram porque um americano disse que já tinha visto o mesmo no norte da África; existem apenas 30 lugares como esse no mundo inteiro. Hoje em dia os técnicos explicam tudo: por causa da formação única do lugar, o vento penetra nos grãos de areia e cria este tipo de ruído. Entretanto, para os antigos, é um dos lugares mágicos da estepe, é uma honra que Dos tenha resolvido fazer aqui sua troca de nome.

Começamos a subir uma das dunas e, à medida que progredíamos, o barulho ia ficando mais intenso, e o vento mais forte. Quando chegamos lá no alto, podíamos ver as montanhas mais nitidamente ao Sul, e a gigantesca planície em torno de nós.

– Vire-se para o poente e tire a roupa – disse Dos.

Eu fiz o que ele mandou, sem perguntar a razão. Comecei a sentir frio, mas eles não pareciam preocupados com o meu bem-estar. Mikhail ajoelhou-se e parecia estar rezando. Dos olhou para o céu, para a terra, para mim, colocando as mãos em meu ombro – do mesmo jeito que eu fizera, sem saber, com o holandês.

– Em nome da Senhora, eu o consagro. Eu o consagro à terra, que é a Senhora. Em nome do cavalo, eu o consagro. Eu o consagro ao mundo, e peço que ele o ajude a caminhar. Em nome da estepe, que é infinita, eu o consagro. Eu o consagro à

Sabedoria infinita, e peço que seu horizonte seja mais amplo do que aquilo que consegue ver. Você escolheu seu nome, e o pronunciará agora pela primeira vez.

– Em nome da estepe infinita, eu escolho um nome – respondi, sem perguntar se estava agindo como o ritual mandava, mas sendo guiado pelo barulho do vento nas dunas.

"Há muitos séculos, um poeta descreveu a peregrinação de um homem, Ulisses, para voltar até uma ilha chamada Ítaca, onde sua bem-amada o espera. Enfrenta muitos perigos, de tempestades a tentações de conforto. Em determinado momento, quando está em uma caverna, encontra um monstro com apenas um olho na testa.

"O monstro pergunta seu nome: 'Ninguém', diz Ulisses. Lutam, ele consegue atravessar o único olho do monstro com sua espada, e fecha a caverna com uma rocha. Seus companheiros escutam gritos e vêm socorrê-lo. Notando que existe uma rocha na entrada, perguntam quem está com ele. 'Ninguém! Ninguém!', responde o monstro. Os companheiros partem, já que não existe nenhuma ameaça à comunidade, e Ulisses pode continuar sua caminhada em direção à mulher que o espera."

– Seu nome é Ulisses?

– Meu nome é Ninguém.

Meu corpo está tremendo, como se várias agulhas estivessem penetrando em minha pele.

– Concentre-se no frio, até que pare de tremer. Deixe que ele ocupe todo o seu pensamento, até não sobrar espaço para mais nada, até ele se transformar em seu companheiro e seu amigo. Não tente controlá-lo. Não pense no sol, ou será muito pior – porque você saberá que existe outra coisa, como o calor, e desta maneira o frio vai sentir que não é desejado ou querido.

Meus músculos se contraíam e se distendiam para produzir energia, e desta maneira consegui manter meu organismo vivo.

Mas fiz o que Dos mandava, porque confiava nele, na sua calma, na sua ternura, na sua autoridade. Deixei que as agulhas penetrassem na minha pele, que meus músculos se debatessem, que meus dentes se chocassem, enquanto repetia mentalmente: "não lutem; o frio é nosso amigo." Os músculos não obedeceram, e assim ficamos quase 15 minutos, até que perderam a força, pararam de sacudir meu corpo, e entrei em uma espécie de torpor; fiz menção de sentar-me, mas Mikhail me agarrou e manteve-me de pé, enquanto Dos falava comigo. Suas palavras pareciam vir de muito longe, de algum lugar onde a estepe encontra o céu:

– Seja bem-vindo, nômade que cruza a estepe. Seja bem-vindo ao lugar onde sempre dizemos que o céu é azul, mesmo que ele esteja cinzento, porque sabemos a cor que existe além das nuvens. Seja bem-vindo à região do Tengri. Seja bem-vindo a mim, que estou aqui para recebê-lo e honrá-lo por sua busca.

– Mikhail sentou-se no chão, pediu que eu bebesse algo que logo esquentou meu sangue. Dos ajudou-me a vestir-me, descemos as dunas que conversavam entre si, montamos e voltamos ao acampamento improvisado. Antes mesmo que começassem a cozinhar, caí num sono profundo.

O que é isso? Ainda não amanheceu?

— Já amanheceu faz tempo: é apenas uma tempestade de areia, não se preocupe. Coloque os óculos escuros, proteja seus olhos.

— Onde está Dos?

— Voltou para Almaty. Mas fiquei comovido com a cerimônia de ontem: na verdade, ele não precisava fazer aquilo, para você deve ter sido uma perda de tempo e a possibilidade de pegar uma pneumonia. Espero que entenda que foi sua maneira de demonstrar o quanto é bem-vindo. Pegue o óleo.

— Dormi mais do que devia.

— São apenas duas horas a cavalo. Chegaremos lá antes que o sol esteja no topo do céu.

— Preciso tomar banho. Preciso trocar de roupa.

— Impossível: você está no meio da estepe. Coloque o óleo na panela, mas antes ofereça-o à Senhora — ele é o produto mais valioso, depois do sal.

— O que é Tengri?

— A palavra significa "o culto do céu", uma espécie de religião sem religião. Por aqui passaram os budistas, os hinduístas, os católicos, os muçulmanos, as seitas, as crenças, as superstições. Os nômades se convertiam para evitar a repressão — mas continuavam e continuam professando apenas a idéia de que a

Divindade está em todo lugar, todo o tempo. Não se pode retirá-la da natureza e colocá-la em livros ou entre quatro paredes. Desde que pisei nesta terra, me sinto melhor, como se estivesse realmente precisando deste alimento. Obrigado por deixar que viesse com você.

– Obrigado por ter me apresentado a Dos. Ontem, enquanto me consagrava, eu senti que é uma pessoa especial.

– Aprendeu com seu avô, que aprendeu com seu pai, que aprendeu com seu pai e assim por diante. O estilo de vida dos nômades, e a ausência de uma língua escrita até o final do século XIX desenvolveram a tradição do *akyn*, a pessoa que devia lembrar-se de tudo, e passar adiante as histórias. Dos é um *akyn*.

"Entretanto, quando eu digo 'aprender', espero que você não entenda como 'acumular conhecimento'. As histórias tampouco têm a ver com datas, nomes ou fatos reais. São lendas de heróis e heroínas, animais e batalhas, símbolos da essência do homem, não apenas de seus feitos. Não é a história de vencedores ou vencidos, mas de pessoas que caminham pelo mundo, contemplam a estepe e deixam-se tocar pela energia do amor. Coloque o óleo mais devagar, ou vai começar a espirrar por todo lado.

– Senti-me abençoado.

– Gostaria de sentir-me da mesma maneira. Ontem fui visitar minha mãe em Almaty, ela perguntou se eu estava bem, se estava ganhando dinheiro. Menti, disse que estava ótimo, apresentava um espetáculo teatral de grande sucesso em Paris. Hoje estou voltando ao meu povo, parece que parti ontem, e que durante todo o tempo em que estive fora, nada fiz de importante. Converso com os mendigos, ando com as tribos, faço os encontros no restaurante, e quais os resultados? Nenhum. Não sou como Dos, que aprendeu com seu avô. Tenho apenas a presença para me guiar, e às vezes penso que tudo não passa de alucinações: talvez o que tenha mesmo sejam ataques epiléticos, e nada mais.

– Há um minuto você estava me agradecendo por ter vindo comigo, e agora parece que isso o deixa muito infeliz. Decida o que está sentindo.

– Estou sentindo as duas coisas, não preciso decidir, posso navegar entre meus opostos, minhas contradições.

– Quero lhe dizer algo, Mikhail. Naveguei também entre muitos opostos, desde que o conheci. Comecei por odiá-lo, passei a aceitá-lo e, à medida que seguia seus passos, esta aceitação se transformou em respeito. Você ainda é jovem, e o que está sentindo é absolutamente normal: impotência. Não sei quantas pessoas o seu trabalho afetou até agora, mas uma coisa eu posso lhe assegurar: você mudou minha vida.

– Seu interesse era apenas encontrar sua mulher.

– Continua sendo. Mas isso me fez atravessar mais do que as estepes do Casaquistão: caminhei por meu passado, vi onde errei, vi onde parei, vi o momento em que perdi Esther – o momento que os índios mexicanos chamam de "acomodador". Vivi coisas que jamais imaginei experimentar na minha idade. Tudo isso porque você estava ao meu lado e me guiava, mesmo sem ter consciência disso. Sabe o que mais? Acredito que ouça vozes. Acredito que teve visões quando era criança. Sempre acreditei em muitas coisas, e agora acredito mais ainda.

– Você não é a mesma pessoa que conheci.

– Não sou. Espero que Esther fique contente.

– Você está contente?

– Claro.

– Então isso é o suficiente. Vamos comer, esperar que a tempestade diminua e seguir adiante.

– Enfrentamos a tempestade.

– Está bem. Faremos como deseja: a tempestade não é um sinal, é apenas uma conseqüência da destruição do mar de Aral.

A fúria do vento está diminuindo, e os cavalos parecem andar mais rápido. Entramos por uma espécie de vale, e a paisagem muda completamente: o horizonte infinito foi substituído por rochedos altos e sem vegetação. Olho para a direita, e vejo um arbusto cheio de fitas amarradas.

– Foi aqui! Foi aqui que você viu...

– Não. O meu foi destruído.

– Então o que é isso?

– Um lugar onde algo muito importante deve ter acontecido.

Ele desmonta, abre a mochila, tira uma faca, corta um pedaço da manga de sua camisa e amarra em um dos galhos. Seus olhos mudam, pode ser que esteja com a presença ao seu lado, mas não quero perguntar nada.

Faço a mesma coisa. Peço proteção, ajuda, sinto também uma presença do meu lado: o meu sonho, a minha longa viagem de volta até a mulher que amo.

Tornamos a montar. Ele não me fala do seu pedido, e eu tampouco comento o meu. Cinco minutos depois, aparece um pequeno povoado, com suas casas brancas. Um senhor nos espera, dirige-se para Mikhail e fala com ele em russo. Os dois discutem por algum tempo, e o homem vai embora.

– O que ele queria?

– Pediu que fosse à sua casa, curar sua filha. Nina deve ter dito que eu chegava hoje, e as pessoas mais velhas ainda se lembram das visões.

Ele parece inseguro. Ninguém mais está à vista, deve ser hora de trabalho ou de refeição. Cruzávamos a rua principal, que parecia conduzir a um prédio branco, no meio de um jardim.

– Lembre-se do que lhe disse hoje de manhã, Mikhail. Pode ser que você seja apenas alguém com epilepsia, que se recusa a aceitar a doença, e deixou seu inconsciente criar toda uma história a respeito. Mas pode ser também que tenha uma missão na Terra: ensinar as pessoas a esquecerem sua história pessoal, serem mais abertas ao amor como energia pura, divina.

– Não entendo você. Durante todos estes muitos meses que nos conhecemos, você só falava neste momento – encontrar Esther. E de repente, desde esta manhã, parece preocupar-se mais comigo do que com qualquer outra coisa. Será que o ritual de Dos ontem à noite teve algum efeito?

– Tenho certeza que sim.

Eu queria dizer: estou apavorado. Quero pensar em tudo, menos no que está para acontecer nos próximos minutos. Hoje eu sou a pessoa mais generosa da face da Terra, porque estou próximo do meu objetivo, tenho medo do que me espera, então minha maneira de reagir é procurar servir aos outros, mostrar a Deus que sou uma pessoa boa, que mereço a bênção tão duramente perseguida.

Mikhail desmontou e pediu que fizesse o mesmo.

– Vou até a casa do homem que está com a filha doente, e cuidarei do seu cavalo enquanto você conversa com ela.

Ele apontou o pequeno prédio branco no meio das árvores.

– Ali.

*   *   *

Fiz tudo para manter o controle.

– O que ela está fazendo?

– Como disse antes, aprende a fazer tapetes e em troca dá aulas de francês. Por sinal, são tapetes muito complicados, embora de aparência simples, como a própria estepe: os corantes vêm de plantas que precisam ser cortadas na hora certa, ou perdem suas qualidades. Em seguida, espalham lã de ovelha no solo, misturam com água quente, fazem os fios enquanto a lã ainda está molhada, e depois de muitos dias, quando finalmente o sol consegue secar tudo, começa o trabalho de tecelagem.

"Os ornamentos finais são feitos por crianças; a mão dos adultos é muito grande para os pequenos e delicados bordados."

Deu uma pausa.

– E não me venha com bobagens sobre trabalho infantil: isso é uma tradição que precisa ser respeitada.

– Como é que ela está?

– Não sei. Não converso com ela há seis meses, mais ou menos.

– Mikhail, isso é mais um sinal: os tapetes.

– Tapetes?

– Lembra-se que ontem, na hora em que Dos me pediu um nome, eu contei a história de um guerreiro que volta para uma ilha em busca de sua bem-amada? A ilha chama-se Ítaca, a mulher chama-se Penélope. Desde que Ulisses partiu para a guerra, Penélope se dedica a quê? Tecelagem! Tecer; como ele demora mais do que o esperado, toda noite ela desfaz seu trabalho e recomeça a tecer na manhã seguinte.

"Os homens a procuram para casar-se, mas ela sonha com a volta daquele que ama. Finalmente, quando se cansa de esperar, e decide que será a última vez que fará seu vestido, Ulisses chega."

– Acontece que o nome desta cidade não é Ítaca. E ela não se chama Penélope.

Mikhail não tinha entendido a história, não valia a pena explicar que eu estava apenas dando um exemplo. Entreguei-lhe meu cavalo, e caminhei a pé os cem metros que me separavam de quem um dia fora minha mulher, se transformara no Zahir e agora voltava a ser a bem-amada que todos os homens sonham encontrar quando voltam da guerra ou do trabalho.

*E*stou imundo. Tenho as roupas e o rosto cheios de areia, o corpo coberto de suor, embora a temperatura seja muito baixa.

Penso na minha aparência, a coisa mais superficial do mundo – como se tivesse feito todo o longo caminho até minha Ítaca pessoal, apenas para mostrar uma roupa nova. Nestes 100 metros que faltam, eu preciso fazer um esforço, pensar em tudo de importante que aconteceu enquanto ela – ou eu? – estava fora.

O que devo dizer quando nos virmos? Pensei muitas vezes nisso, coisas do tipo "esperei muito tempo por este momento", ou "entendi que estava errado", "vim até aqui para dizer que te amo", ou ainda "você está mais bonita que nunca".

Decidi por "Olá". Como se ela nunca tivesse partido. Como se tivesse passado apenas um dia, e não dois anos, nove meses, 11 dias e 11 horas.

E ela precisa entender que eu mudei, enquanto caminhava pelos mesmos lugares onde esteve, e que eu jamais soube – ou jamais me interessei. Vira o pedaço de tecido ensangüentado na mão de um mendigo, de jovens e senhores que se apresentavam em um restaurante em Paris, de um pintor, do meu médico, de um rapaz que dizia ter visões e escutar vozes. Enquanto seguia sua pista, conheci a mulher com quem tinha me casado, e redescobri o sentido de minha vida, que tinha mudado tanto e agora mudava mais uma vez.

Embora casado por tanto tempo, jamais conheci direito minha mulher: eu havia criado uma "história de amor" igual às que via nos filmes, lia nos livros, nas revistas, assistia nos programas de televisão. Na minha história, o "amor" era algo que crescia, chegava a determinado tamanho, e a partir dali era apenas uma questão de mantê-lo vivo como uma planta, regando-o de vez em quando, cortando as folhas secas. "Amor" era também sinônimo de ternura, segurança, prestígio, conforto, sucesso. "Amor" se traduzia em sorrisos, em palavras como "eu te amo", ou "adoro quando você chega em casa".

Mas as coisas eram mais confusas do que eu pensava: vez por outra, amava Esther perdidamente antes de atravessar uma rua e, quando chegava à calçada do outro lado, já estava me sentindo aprisionado, triste por ter me comprometido com alguém, louco para poder partir de novo em busca de aventura. E pensava: "já não a amo mais." E quando o amor voltava com a mesma intensidade que antes, eu tinha dúvidas, e dizia para mim mesmo "acho que estou acostumado".

Esther possivelmente tinha os mesmos pensamentos, e podia dizer a si mesma: "que bobagem, somos felizes, podemos passar o resto da vida assim." Afinal, tinha lido as mesmas histórias, visto os mesmos filmes, acompanhado os mesmos seriados de televisão, e embora nenhum deles dissesse que o amor era muito mais que um final feliz, por que não ser mais tolerante consigo mesma? Se repetisse todas as manhãs que estava contente com sua vida, com toda certeza terminaria não apenas por acreditar, mas por fazer com que todo mundo a nossa volta também acreditasse.

Mas pensava diferente. Agia diferente. Tentou mostrar-me, e eu não consegui ver – precisei perdê-la para entender que o sabor das coisas recuperadas é o mel mais doce que podemos experimentar. Agora eu estava ali, caminhando pela rua de uma cidade pequena, adormecida, fria, de novo fazendo um caminho por causa dela. O primeiro e mais importante fio da teia que me prendia – "todas as histórias de amor são iguais" – arrebentara quando fui jogado para o alto por uma motocicleta.

No hospital, o amor conversou comigo: "Eu sou o tudo e o nada. Sou como o vento, e não consigo entrar onde as janelas e portas estão fechadas."

Respondi para o amor: "Mas eu estou aberto para você!"

E ele me disse: "O vento é feito de ar. Existe ar na sua casa, mas tudo está fechado. Os móveis vão se encher de poeira, a umidade terminará destruindo os quadros e manchando as paredes. Você continuará respirando, você conhecerá uma parte de mim – mas eu não sou uma parte, eu sou o Todo, e isso você não conhecerá nunca."

Notei os móveis cheios de poeira, os quadros apodrecendo por causa da umidade, não tinha outra alternativa a não ser abrir as janelas e as portas. Quando fiz isso, o vento varreu tudo. Eu queria guardar minhas memórias, proteger o que julgava ter conseguido com tanto esforço, mas todas as coisas haviam desaparecido, eu estava vazio como a estepe.

Mais uma vez entendia por que Esther decidiu vir para cá: vazio como a estepe.

E porque estava vazio, o vento que entrava trouxe coisas novas, ruídos que não havia escutado, gente com quem jamais conversei. Voltei a ter o mesmo entusiasmo de antes, porque me libertara de minha história pessoal, destruíra o "acomodador", descobrira-me um homem capaz de abençoar os outros no mesmo estilo com que os nômades e os feiticeiros da estepe abençoavam seus semelhantes. Descobri que era muito melhor e muito mais capaz do que eu mesmo pensava, a idade só consegue diminuir o ritmo daqueles que jamais tiveram coragem de andar com seus próprios passos.

Um dia, por causa de uma mulher, eu fizera uma longa peregrinação para encontrar-me com meu sonho. Muitos anos depois, a mesma mulher me obrigara a andar de novo, desta vez para encontrar-me com o homem que se havia perdido no caminho.

Agora estou pensando em tudo – menos em coisas importantes: canto mentalmente uma música, pergunto a mim mesmo por que não existem carros estacionados ali, noto que meu sapato está machucando, e que o relógio de pulso ainda marca a hora européia.

Tudo isso porque a mulher, a minha mulher, a minha guia e o amor de minha vida, está agora a apenas alguns passos de distância; qualquer assunto ajuda a fugir da realidade que tanto procurei, mas que tenho medo de enfrentar.

Sento em um dos degraus da casa, fumo um cigarro. Penso em voltar para a França; já cheguei aonde desejava, por que ir mais adiante?

Levanto, as pernas estão tremendo. Ao invés de pegar o caminho de volta, limpo o melhor possível a areia da roupa e do rosto, coloco a mão no trinco da porta e entro.

*E*mbora eu saiba que talvez tenha perdido para sempre a mulher que amo, preciso esforçar-me para viver todas as graças que Deus me deu hoje. A graça não pode ser economizada. Não existe um banco onde possa depositá-las, para utilizá-las quando voltar a estar em paz comigo mesmo. Se eu não usufruir destas bênçãos, vou perdê-las irremediavelmente.

Deus sabe que somos artistas da vida. Um dia nos dá um martelo para esculturas, outro dia pincéis e tinta para pintar um quadro, ou papel e caneta para escrever. Mas jamais conseguirei usar martelos em telas, ou pincel em esculturas. Portanto, mesmo sendo difícil, preciso aceitar as pequenas bênçãos de hoje, que me parecem maldições porque estou sofrendo e o dia está lindo, o sol está brilhando, as crianças cantam na rua. Só assim conseguirei sair de minha dor e reconstruir minha vida.

O lugar estava inundado de luz. Ela levantou os olhos quando entrei, sorriu, e voltou a ler *Tempo de rasgar, tempo de costurar* para as mulheres e crianças sentadas no chão, com tecidos coloridos à sua volta. Cada vez que Esther dava uma pausa, elas repetiam o trecho, sem tirar os olhos do trabalho.

Senti um nó na garganta, controlei-me para não chorar, e a partir dali não senti mais nada. Fiquei apenas olhando aquela cena, escutando minhas palavras em seus lábios, cercado de cores, de luz, de gente totalmente concentrada no que estava fazendo.

E no final das contas, como diz um sábio persa, o amor é uma doença da qual ninguém quer livrar-se. Quem foi atacado por ela não procura restabelecer-se, e quem sofre não deseja ser curado.

Esther fechou o livro. As pessoas levantaram os olhos e me viram.

– Vou passear com o amigo que acaba de chegar – disse para o grupo. – A aula de hoje está terminada.

Todos riram e me cumprimentaram. Ela veio até mim, me beijou o rosto, me pegou pelo braço, e saímos.

– Olá – eu disse.

– Eu estava te esperando – ela me respondeu.

Abracei-a, coloquei a cabeça no seu ombro e comecei a chorar. Ela acariciava meus cabelos, e pela sua maneira de tocar-me, eu ia compreendendo o que não queria compreender, aceitando o que não queria aceitar.

– Esperei de muitas maneiras – disse ela, ao ver que as lágrimas iam diminuindo. – Como a mulher desesperada, que sabe que seu homem jamais compreendeu seus passos, nunca virá até aqui, e portanto é necessário pegar um avião e voltar, para novamente partir na próxima crise, e voltar, e partir, e voltar...

O vento tinha diminuído de intensidade, as árvores estavam escutando o que ela me dizia.

– Esperei como Penélope esperava Ulisses, Romeu esperava Julieta, Beatriz esperava Dante para resgatá-la. O vazio da estepe era cheio de lembranças suas, dos momentos que passamos juntos, dos países que visitamos, das nossas alegrias, das nossas brigas. Então, olhei para trás, para a trilha que meus passos tinham deixado, e não vi você.

"Sofri muito. Entendi que tinha feito um caminho sem volta e, quando agimos assim, só nos resta seguir adiante. Fui até o nômade que conhecera um dia, pedi que me ensinasse a esquecer minha história pessoal, que me abrisse para o amor que está presente em todos os lugares. Comecei a aprender a tradição Tengri com ele. Certo dia, olhei para o lado e vi este amor refletido em um par de olhos: um pintor chamado Dos."

Eu não disse nada.

– Eu estava muito machucada, não podia acreditar que fosse possível voltar a amar de novo. Ele não disse muita coisa, apenas me ensinou a falar russo, e me contava que nas estepes sempre usam a palavra azul para descrever o céu, mesmo que ele esteja cinzento – porque sabem que acima das nuvens ele continua azul. Ele pegou minha mão e me ajudou a atravessar estas nuvens. Ensinou-me a me amar, antes de amá-lo. Mostrou-me que meu coração estava a meu serviço e a serviço de Deus, e não a serviço dos outros.

"Disse que o meu passado iria me acompanhar sempre, mas que quanto mais eu me livrasse dos fatos, e me concentrasse apenas nas emoções, eu entenderia que no presente há sempre um espaço tão grande quanto a estepe para preenchê-lo com mais amor, e mais alegria de viver.

"Finalmente, explicou-me que o sofrimento nasce quando esperamos que os outros nos amem da maneira que imaginamos, e não da maneira com que o amor deve se manifestar – livre, sem controle, nos guiando com sua força, nos impedindo de parar."

Eu retirei a cabeça do seu ombro e olhei-a.

– E você o ama?

– Amei.

– Continua amando?

– Você acha que seria possível? Você acha que, se amasse outro homem, ao saber que você iria chegar, eu ainda estaria aqui?

– Acho que não. Acho que passou a manhã aguardando o momento da porta se abrir.

– Então por que me faz perguntas tolas?

Por insegurança, pensei. Mas foi ótimo que tivesse tentado encontrar de novo o amor.

– Estou grávida.

Foi como se o mundo desabasse sobre minha cabeça, mas durou apenas um segundo.

– Dos?

– Não. Alguém que veio e foi embora.

Eu ri, embora estivesse com o coração apertado.

– Afinal de contas, não se tem muito para fazer neste fim de mundo – comentei.

– Não é o fim do mundo – Esther respondeu, rindo também.

– Mas talvez seja hora de voltar para Paris. Me telefonaram do seu trabalho, perguntando se sabia onde podiam encontrá-la. Queriam que fizesse uma reportagem acompanhando uma patrulha da OTAN no Afeganistão. Você precisa responder que não pode.

– Por que não posso?

– Você está grávida! Deseja que o bebê comece a receber desde cedo as energias negativas de uma guerra?

– O bebê? Você acha que isso vai me impedir de trabalhar? E além disso, por que está preocupado? Você não fez nada para isso!

– Não fiz? Não foi graças a mim que veio parar aqui? Ou acha que isso é pouco?

Ela retirou do bolso de seu vestido branco um pedaço de tecido manchado de sangue e me entregou, com os olhos cheios d'água.

– É para você. Estava com saudades de nossas brigas.

E depois de uma pausa:

– Peça a Mikhail que consiga mais um cavalo.

Eu me levantei, segurei-a nos ombros e a abençoei, da mesma maneira como tinha sido abençoado.

NOTA DO AUTOR

Escrevi *O Zahir* enquanto fazia minha própria peregrinação por este mundo, entre janeiro e junho de 2004. Partes do livro foram escritas em Paris, St. Martin (França), Madri, Barcelona (Espanha), Amsterdã (Holanda), uma estrada (Bélgica), Almaty e na estepe (Casaquistão).

Quero agradecer a meus editores franceses, Anne e Alain Carrièrre, que se encarregaram de conseguir todas as informações a respeito de leis francesas citadas no decorrer do livro.

Li pela primeira vez a menção ao Banco de Favores em *A fogueira das vaidades*, de Tom Wolfe. O livro que Esther leu, e que conta a história de Fritz e Hans em Tóquio, é *Ishmael*, de Daniel Quinn. O místico que Marie cita, ao se referir à importância de nos mantermos vigilantes, é Kenan Rifai. A maioria dos diálogos da tribo em Paris me foram relatados por jovens que participam de grupos semelhantes. Alguns deles colocaram seus textos na Internet, mas é impossível distinguir a autoria.

Os versos que o personagem principal aprendeu em sua infância, e relembra quando está no hospital (*Quando a indesejada das gentes chegar...*), fazem parte do poema "Consoada", do brasileiro Manuel Bandeira. Alguns dos comentários de Marie, logo após a cena onde o personagem principal vai à estação de trem receber o ator, nasceram de uma conversa com Agneta Sjodin, atriz sueca. O conceito de esquecer a história pessoal, embora faça parte de muitas tradições iniciáticas, está bem desenvolvido no livro *Viagem a Ixtlan,* de Carlos Castañeda. A Lei de Jante foi desenvolvida pelo escritor dinamarquês Aksel Sandemose na novela *Um refugiado ultrapassa seus limites.* Duas pessoas que me honram muito com sua amizade, Dmitry Voskoboynikov e Evgenia Dotsuk, me facilitaram todos os passos necessários para visitar o Casaquistão.

Em Almaty, pude encontrar Imangali Tasmagambetov, autor do livro *The Centaurs of the Great Steppe* e grande conhecedor da cultura local, que me deu uma série de informações importantes sobre a situação política e cultural do Casaquistão, no passado e na atualidade. Agradeço também ao presidente da República, Nursultan Nazarbaev, pela excelente acolhida, e aproveito para cumprimentá-lo por não ter dado continuidade aos testes nucleares em seu país, embora tivesse toda a tecnologia necessária para isso, optando por eliminar todo o seu arsenal atômico.

Finalmente, devo muito da minha mágica experiência na estepe a três pessoas que me acompanharam e que tiveram muita paciência: Kaisar Alimkulov, Dos (Dosbol Kasymov), um pintor de grande talento, e no qual me inspirei para o personagem do mesmo nome, que aparece no final do livro, e Marie Nimirovskaya, no início apenas minha intérprete, e pouco tempo depois minha amiga.

Obras do autor publicadas
pela Rocco

O ALQUIMISTA

O ALQUIMISTA (*Ilustrado*)

O DIÁRIO DE UM MAGO

BRIDA

AS VALKÍRIAS

NA MARGEM DO RIO PIEDRA
EU SENTEI E CHOREI

MAKTUB

O MONTE CINCO

MANUAL DO GUERREIRO DA LUZ

VERONIKA DECIDE MORRER

O DEMÔNIO E A SRTA. PRYM

ONZE MINUTOS

O ZAHIR

Este livro foi impresso em papel
Chamois Fine Dunas 70g/m², da Ripasa S/A.,
fabricado em harmonia com o meio ambiente.

RR DONNELLEY

IMPRESSÃO E ACABAMENTO
IMPRESSO EM SISTEMA CTP